VIVRE
EN HARMONIE
avec soi et les autres

VIVRE
EN HARMONIE
avec soi et les autres

Claudia Rainville

ÉDITION DU CLUB QUÉBEC LOISIRS INC.
© Avec l'autorisation des Éditions F.R.J. inc.

Dépôt légal — 4e trimestre 1990
ISBN 2-89430-021-2
(publié précédemment sous ISBN 2-9801558-2-9)

DÉDICACE

À tous les hommes de ma vie, qui, chacun à leur manière, me firent avancer dans la voie de ma réalisation.

Et plus spécialement:

À mon père Noël Rainville qui, par son absence et la souffrance qui en a résulté, m'a poussée à me dépasser.

À mon second père, Jos Dupré, qui fut ma première source de sagesse.

À Théo, mon premier conjoint, qui permit à l'enfant en moi de s'exprimer.

À Claude, mon second conjoint, qui m'encouragea dans la voie de ma réalisation.

À mon bien-aimé Laurent, qui me fit découvrir des niveaux d'amour au-delà de tout ce que j'avais connu.

Et à mes maîtres, du premier, Miguel Néri, jusqu'au dernier, sa Sainteté le Dalaï Lama.

REMERCIEMENTS

La naissance d'un volume est comme la naissance d'un enfant. Elle suppose une préparation de longue date. Durant la gestation, toute une équipe, tant dans les plans invisible que visible, travaillera à préparer sa venue.

Mes remerciements s'adressent à tous ceux et celles qui m'ont apporté les éléments à sa conception, soit ma famille, mes amis(es), mes conjoints, mes éducateurs, mes maîtres et mes très chers participants.

Un merci tout particulier s'adresse à l'équipe qui m'a soutenue pendant sa gestation et m'a aidée à sa réalisation: Ginette Laliberté, Micheline Chamberland, Claudine Vaillancourt, Ginette Chagnon, Richard Ferron, Philippe Bonneau et Yvan Caron.

INTRODUCTION

Notre bonne vieille terre est aussi un être vivant et les êtres de conscience ressentent sa souffrance face aux multiples agressions matérialistes qui viennent menacer son existence. Est-il possible que la toute puissante science nous ait menés jusque là? Elle a oublié tout au long de son existence la conscience. Ainsi, une science sans conscience nous mène droit au gouffre. Pour modifier cet état de chose, nous devons retrouver notre lumière intérieure, vivre plus simplement, ne consommer que ce qui est nécessaire. **"Vivre en harmonie avec soi et les autres"** est un instrument de premier choix pour nous amener à travailler sur nos états de conscience. Nous aurons ainsi les bases nécessaires pour amorcer cette médecine de l'âme qui fait si peur aux scientifiques. Cette médecine, c'est d'abord trouver le sens de sa vie. Où s'en va ma vie? Voilà une question que mes clients laissent souvent dans un silence angoissant, voire "karmique". Depuis toutes ces années, ma réflexion sur "les médecines" m'amène à prescrire aux gens la pensée positive et l'amour inconditionnel dans un contexte de conscience protectrice. Nous offrons alors une opposition de taille à la maladie. En vous offrant **"Vivre en harmonie avec soi et les autres"**, vous vous offrez aussi une portion d'éternité...

Jean Drouin, MD.

AVANT-PROPOS

«C'est sur soi-même qu'il faut œuvrer, c'est en soi-même qu'il faut chercher» Paracelse

Pendant des années, j'ai offert des ateliers d'«Éveil à la santé», afin d'amener les personnes à conscientiser les causes probables de leurs malaises et maladies. Par ces ateliers, et les nombreuses questions qui y étaient posées, j'ai appris beaucoup sur le sujet à tel point que les quelques heures allouées à l'atelier devinrent insuffisantes pour transmettre tout le savoir que j'avais accumulé au fil des ans. De plus, par le médium de ces ateliers, je ne rejoignais qu'un très faible pourcentage de la population qui aurait pu bénéficier de ces enseignements. C'est ce qui me motiva à écrire un premier volume intitulé: «Participer à l'Univers, sain de corps et d'esprit». J'eus raison puisqu'en très peu de temps ce volume devint un bestseller. Suite à sa lecture, plusieurs lecteurs et lectrices me firent le commentaire suivant: «Je me suis reconnu dans tant d'exemples de ton volume. Mais comment puis-je cesser ce processus répétitif? Comment puis-je maîtriser mes émotions? Que puis-je faire face à mes difficultés de couple?»

Ce second volume est une suite logique au précédent. Tout comme lui, il a été nourri par l'expérience acquise grâce aux nombreux participants des ateliers «Harmonie avec soi». Il vise comme le premier, à rejoindre un plus grand nombre de personnes qui pourront bénéficier de toutes ces découvertes qui m'ont permis à moi et à des milliers d'autres de trouver la paix, l'amour et l'harmonie.

C'est un peu ma vie que je te livre afin que tu te reconnaisses à travers mes expériences et celles des personnes présentées. Toutes les histoires vécues sont authentiques elles ont cependant été légèrement modifiées afin de conserver l'anonymat des personnes concernées. Elles sont parfois présentées de manière très résumées pour ne retenir que l'essentiel du sujet traité.

11

Ce volume, qui représente mes sept dernières années de recherche est un véritable guide pour établir sa propre psychothérapie et celle de son couple.

Présenté dans toute sa simplicité, il sera un outil très précieux pour le profane et pourra tout autant éclairer le professionnel.

Il est à noter que certaines expressions utilisées dans ce volume me sont personnelles. Que le linguiste ne s'offusque pas, puisque ces expressions visaient à mieux verbaliser ma pensée.

Puisse ce volume que tu tiens entre tes mains transformer ta vie comme ce qu'il contient a transformé la mienne.

Ton amie Claudia

TABLE DES MATIÈRES

13

Chapitre

PREMIÈRE PARTIE

VIVRE EN HARMONIE AVEC SOI

CHAPITRE I

ÊTRE SOI-MÊME

Au commencement, il y eut la présence de
soi-même.

Puis, l'amélioration du monde qui nous entoure
commença d'abord par l'amélioration de soi-
même.

Enfin, il y eut la présence du Soi. *(R. B.L.)*

Enfant pour la plupart d'entre nous, on nous a davantage appris à PARAITRE qu'à ÊTRE. On vivait selon les traditions familiales, religieuses ou sociales, en fonction de «Qu'est-ce qu'ils vont dire ou penser?» Nos parents furent élevés dans cette tradition du «PARAITRE». Les gens de cette génération craignaient d'exprimer leurs sentiments; aussi exprimaient-ils souvent le contraire de ce qu'ils pensaient. Par exemple lorsqu'ils trouvaient quelque chose de bon, ils disaient: «C'est pas mauvais»; quelque chose de beau: «C'est pas laid»; quelqu'un d'intelligent: «Il n'est pas bête». Lorsqu'ils aimaient quelqu'un, ils préféraient le terme: «J'l'haïs pas».

Dans cette crainte de révéler leurs sentiments, les émotions n'avaient pas leur raison d'être. Il fallait les étouffer ou les refouler. Ainsi, quand un petit garçon pleurait, on lui disait: «Quoi, tu pleures? Un homme ça pleure pas!» Pour la fille, on lui disait: «Regarde comme tu es laide quand tu pleures» Ou bien: «Pleure pas, pleure pas, ça va s'arranger».

Comment auraient-ils pu nous permettre «d'être nous-mêmes» alors qu'eux ne savaient pas ce qu'était «être soi-même»?

Il fallait se comporter selon les codes de la «bienséance» sans tenir compte de nos désirs, sentiments ou émotions. C'est ainsi qu'on nous demandait d'aller dormir alors qu'on n'avait pas sommeil; de manger lorsqu'on n'avait pas faim; d'être tranquille alors qu'on avait envie de s'amuser; d'embrasser l'oncle qui nous répugnait ou encore de s'excuser alors qu'on n'en avait point envie. De ces refoulements sont nés différents types de comportement dont entre autres la soumission et la rébellion.

LA SOUMISSION

L'enfant soumis est très obéissant à l'extérieur mais vit de grandes colères à l'intérieur. C'est l'enfant qui fait un grand sourire à sa mère et tord l'oreille à son frère ou bousille la pelouse du voisin.

À l'âge adulte, ces personnes sont souvent celles qui parlent peu, ne vous refusent jamais rien, se montrent très compréhensives mais qui au fond d'elles sont remplies de colère. Une mauvaise haleine, une odeur corporelle désagréable, des infections à répétition ou des problèmes de foie peuvent parfois les trahir. Très souvent ces personnes vivent dans la peur de s'engager ou d'être possédées. C'est pourquoi elles ne s'impliquent que très superficiellement. Comme elles ne savent pas dire non, elles préfèrent fuir une situation plutôt que de risquer d'y subir une emprise.

LA RÉBELLION

L'enfant rebelle lui, extériorise sa colère et son agressivité mais refoule ses sentiments les plus profonds. C'est l'enfant qui crie pour ne pas pleurer et qui exprime par la violence ce qu'il est incapable de révéler. Il en résulte qu'il se sent souvent méchant et s'autopunit. On peut utiliser l'un ou l'autre de ces comportements simultanément: soumission à l'école, rébellion à la maison ou l'inverse.

À l'âge adulte, ces personnes vivent souvent dans la peur d'être dominées ou rejetées. Pour se protéger, elles réagissent en dominant et en rejetant les autres par leur violence physique ou verbale. Au fond d'elles-mêmes, elles se sentent méchantes, se détestent et finissent par s'autodétruire de différentes façons: soit par l'alcool, les drogues, la maladie, les accidents et parfois même par le suicide. Il y a des personnes qui sont soumises à leur travail et rebelles dans leur foyer ou l'inverse.

On peut utiliser ces comportements momentanément ou constamment et fort heureusement s'en libérer par la suite. Là où il est important d'en prendre conscience, c'est lorsque nous les reproduisons continuellement, car ils auront des effets dommageables tout au long de notre vie. Soumission ou rébellion, voilà deux extrêmes dans lesquels on oscille lorsque l'on craint d'être rejeté ou dominé.

On peut aussi développer d'autres mécanismes de défense dont, entre autres, le masque de la personne comblée, celui de la personne au-dessus de toutes situations, etc..

LE MASQUE DE LA PERSONNE COMBLÉE

Une dame d'une cinquantaine d'années me révélait un jour que pendant des années, elle se cachait pour pleurer. Comme elle habitait une petite maison, c'est dans le champ qu'elle allait pleurer. Son père lui avait dit le jour de son mariage: «Si ça ne marche pas, viens pas pleurer.» Aussi, pendant des années, a-t-elle refoulé son chagrin dans son travail, dans ses tâches domestiques. Elle sauvait les apparences pour ne pas risquer de briser l'image qu'on avait d'elle: celle d'une bonne mère, d'une bonne épouse et d'une bonne chrétienne. Mais en réalité, elle avait le sentiment d'être seule à porter le fardeau, de savoir qu'en fait cela était le masque de sa souffrance.

LE MASQUE DE LA PERSONNE AU-DESSUS DE TOUTES SITUATIONS

Pendant des années j'ai aussi porté un masque. Le mien était celui de la personne que rien n'atteint. Je passais pour une dure à cuire lorsque j'étais enfant et pour une «snob» à l'adolescence. Ce masque était mon armure contre ma vulnérabilité. Je jouais la carte de l'indifférence. Si on m'envoyait dans le corridor avec mon pupitre, j'y allais avec mon petit sourire indifférent et moqueur. Si on me frappait dans la main droite, j'offrais la gauche toujours avec mon petit air indifférent.

Un jour, à l'âge de treize ans, la maîtresse d'école, comme nous appelions les enseignantes à l'époque, tenta de mettre la hache dans ma carapace protectrice. Elle fut victime du vol de son sac à main.

19

J'en fus accusée bien que je ne l'avais pas commis; mais tous les indices jouaient contre moi. J'avais déposé 5,00$ à la petite caisse scolaire; on avait précisément volé 5,00$ dans son porte-monnaie. J'allais à la messe de sept heures tous les matins; le sac à main avait été retrouvé sur les marches de l'église que je fréquentais. Le jour où je fus accusée du vol, cette enseignante me garda après la classe et dans le feu de sa colère, elle me lança: «Tu es détestable. Tes frères et tes soeurs ne t'aiment pas, tes camarades ne t'aiment pas, personne ne t'aime et personne ne t'aimera jamais». Cet incident eut sur moi les effets les plus dommageables, car pendant des années, j'ai vécu avec cette idée que je n'étais pas aimable. C'était l'image de moi-même que j'avais acceptée, bien qu'à l'extérieur j'affichais l'indifférence. Aussi, avec une telle image, je ne pouvais pas croire qu'on pouvait m'aimer, alors je me sentais obligée de m'acheter l'amour dont j'avais besoin.

Ce cher mécanisme de défense, celui d'être au-dessus des situations, je l'ai utilisé jusqu'à l'âge de trente-deux ans ou plutôt jusqu'à ce que j'étouffe complètement sous mon masque des apparences. Un jour, une collègue de travail dit à l'une de mes soeurs qui pourtant était très près de moi: «Ta soeur est une personne très sensible.» Ma soeur en fut très surprise. Elle ajouta: «Ecoute-la lorsqu'elle parle, elle a une voix qui vibre; seul un être sensible peut avoir une telle voix». Je m'étais fabriqué un masque si bien moulé que ma propre famille ne s'était jamais doutée qu'au fond de moi, ce n'était que souffrance. Je jouais une comédie; j'arrivais à me fondre avec le personnage. Je me souviens qu'à mon travail, une de mes amies me disait: «Comme tu as une belle philosophie de vie» alors que j'avais pensé au suicide la veille. J'aurais tellement voulu lui crier: «Si tu savais ce que tu ne sais pas!» C'était le drame de ma vie et je ne savais plus comment quitter mon personnage pour être moi-même, étant convaincue que mon moi-réel était détestable, faux et lamentable.

Beaucoup de personnes qui entreprennent une démarche vers la connaissance de soi vivent dans la peur de découvrir un monstre caché à l'intérieur d'eux-mêmes. Cela demande du courage de se regarder bien en face, de se réconcilier avec soi-même et son passé; mais les récompenses en valent largement les efforts. Pour plusieurs personnes, «Connais-toi toi-même» équivaut à: «Sache ce que pensent ou ce qu'ont pensé ceux qui avaient de l'importance dans ta vie.»

Tous, nous nous sommes fabriqués une image de nous-même basée sur les éléments disponibles dans notre milieu. Notre image s'est donc construite à partir des influences reçues par les paroles que l'on disait de nous, les réflexions que l'on nous faisait, les expériences dont nous avons été témoins et les conclusions qu'on en a tirées. Cette image est parfois très éloignée de notre moi-réel mais aura des conséquences majeures tout au long de notre vie.

L'INTERPRÉTATION D'UNE PAROLE

Un parent répète à ses enfants: «Vous êtes des incapables, vous ne réussirez jamais rien de bon dans votre vie.» Ces paroles peuvent influencer de façons diverses les enfants concernés. L'un peut réagir en disant: «Tu vas voir ce que je vais devenir; je vais te prouver combien tu as tort.» Chez cet enfant, ces paroles auront un effet de motivation à atteindre de grands objectifs. Chez un second, ces mêmes paroles auront un effet de démolition. Il perdra complètement confiance en lui-même, acceptant cette influence comme une vérité. Inconsciemment, il donnera raison à son parent. Un troisième demeurera totalement indifférent à cette remarque pensant: «Le vieux, il dit n'importe quoi. Comment peut-on être raté alors qu'on n'a encore rien entrepris? De nous deux s'il y a un raté, c'est bien lui.»

Ces influences peuvent parfois avoir un effet des plus destructifs chez certaines personnes. Voyons quelques cas:

LE SURNOM DE JEAN-CLAUDE

Jeannine (une psycho-éducatrice qui travaillait en collaboration avec moi) recevait de façon régulière un garçon de quatorze ans, en secondaire I et qui présentait de graves difficultés scolaires. Son père l'avait baptisé, à sa manière, «le grand ta-ta», surnom que tous adoptèrent pour désigner Jean-Claude. Lorsque Jeannine discuta avec lui, elle se rendit compte que ce garçon était beaucoup plus intelligent qu'il ne le laissait paraître et l'image qu'il avait de lui-même était si dévalorisante qu'il se croyait incapable d'apprendre quoi que ce soit. Elle décida donc de lui faire passer un test pour évaluer son quotient intellectuel. Lorsque Jeannine lui révéla qu'au fond il était très intelligent, et l'aida à découvrir son moi-réel: celui d'un garçon bon, sensible et brillant, il obtint, en trois mois seulement, de meilleures notes que certains étudiants brillants.

LOUISE EST GAUCHÈRE

Lorsque Louise entre à l'école, elle prend instinctivement son crayon de la main gauche. La religieuse qui lui enseigne étant droitière, est incapable de lui apprendre à écrire de la main gauche; alors elle oblige Louise à écrire de la main droite. Comme chez les gauchers, les commandes sont inversées, Louise revient, sans même pouvoir se l'expliquer, vers sa main gauche. La religieuse interprète cela comme de la mauvaise volonté et lui donne des coups de règle. Alors Louise fait de plus en plus d'efforts pour aller à l'encontre de ce qu'elle est vraiment. Dans un sentiment d'impuissance envers l'autorité que représente la religieuse, Louise pense: «Moi je ne suis pas comme les autres, je ne pourrai jamais réussir comme eux».

Voilà une partie de l'image que Louise se crée et elle la poursuivra aussi longtemps qu'elle l'entretiendra. Etant persuadée qu'elle n'est pas comme les autres et qu'elle ne peut réussir comme les autres, elle s'attirera toutes sortes d'événements qui justifieront ses pensées. Lorsque je l'ai reçue en consultation, elle n'arrivait pas à conserver un emploi. Chaque nouvel emploi était toujours plus dévalorisant. Il fallut l'aider à retrouver son moi-réel, à savoir, qu'elle était différente mais non inférieure à qui que ce soit, et de plus, l'aider à rebâtir sa confiance en elle-même.

NOUS SOMMES LE REFLET
DE NOS PENSÉES

À l'âge de neuf ans, Georges subit un accident de bicyclette où il a les deux jambes fracturées. La longue hospitalisation fait qu'à son retour à l'école, on le place dans une classe d'enfants présentant des difficultés d'apprentissage. Comme ses difficultés ne sont pas à ce niveau, il est par conséquent le premier de sa classe. À la fin de l'année scolaire, tous les parents sont conviés dans la grande salle pour la remise des bulletins. À tour de rôle, l'élève qui est premier de sa classe est présenté à la salle et applaudi chaleureusement. Lorsqu'on présente Georges, personne n'applaudit. Il est profondément déçu et en colère. Dans son for intérieur, il pense « Attendez vous autres, vous verrez bien qui je vais devenir! Je vais me venger de vous tous.» Et pendant des années, Georges travaille d'arrache-pied pour avoir ce qu'il désire réellement. Sa seule motivation: montrer au monde de quoi il est capable. Pour ce faire, il sacrifie une bonne partie de sa jeunesse, néglige sa femme et ses enfants et se retrouve finalement sur la paille, seul, sans le sou, sa femme et ses amis l'ayant laissé à sa folle ambition.

Subtilement, l'un de ses amis organise un rendez-vous afin que Georges me consulte, car bien qu'écroulé, Georges ne sait pas demander de l'aide. Georges me confie: «Depuis que je suis sur la paille, j'ai une maîtresse, et je lui ai donné plus de temps en trois mois que j'en ai donné à ma femme en dix ans et pourtant je l'aime.»

En fait, Georges voulait détruire l'image de l'handicapé qu'il portait en lui. Il voulait prouver ce dont il était capable, mais personne n'était intéressé par ses preuves. Tout ce que ses proches désiraient, c'était qu'il prenne le temps de vivre avec eux. Georges a compris que le prix de sa vengeance était bien lourd à payer. Si les gens n'ont pas applaudi, c'est peut-être qu'ils ne savaient pas que cette classe était comme les autres. Il a également compris que ce que les autres pensaient ou avaient pensé n'était pas important. Ce qui était important, c'est ce que «lui» pensait de lui.

Mon propre cas

J'ai vécu une situation similaire à celle de Georges. À l'âge de quinze ans, mon second père me dit: «Tu es une ratée, tu ne feras jamais rien de bon dans la vie» et je lui répondis: «Un jour, Jos, vous verrez, vous vous inclinerez devant moi.» Il me fallut des années avant de comprendre ce que mon père voulait dire. Ses paroles signifiaient: «Si tu savais comme quelquefois j'ai l'impression d'avoir raté ma vie et combien je souhaite que toi tu réussisses». Tout comme Georges, j'ai voulu prouver à mon père ce dont j'étais capable. J'ai passé la plus grande partie de mon adolescence à étudier, même la fin de semaine lorsque ma soeur et mes amies s'amusaient. J'ai terminé mes études à l'âge de vingt-trois ans et je n'ai jamais cessé d'étudier. Il y avait aussi en moi cette folle ambition de réussir; j'en ai été quitte d'ailleurs pour plusieurs «burn out». Je me suis spécialisée en microbiologie, j'ai acquis une formation d'agent de voyage, ouvert une poissonnerie et fondé un Centre.

Joe Dassin, dans sa chanson «Les Jardins du Luxembourg» chantait: «Je voulais réussir dans la vie et j'ai tout réussi sauf ma vie.» À une certaine période de ma vie, c'est ce que j'aurais pu chanter moi-même.

> *«On enseigne le mieux ce que l'on a le plus*
> *besoin d'apprendre» (Richard Bach)*

Cette maxime illustre bien l'expérience que j'ai vécue lorsque j'ai fondé le Centre d'Harmonisation Intérieure. Pour moi harmonie signifie équilibre. À cette époque je travaillais plus de cent heures par semaine; je n'entrevoyais mon mari et mes enfants que quelques heures pour leur offrir mes épuisements. Je payais le prix de celle qui veut forcer la chance. Étais-je en harmonie, en équilibre? Que n'ai-je fait pour mériter la fierté de mon père et ma mère? J'ai dû, tout comme Georges, me retrouver sur la paille avant de réaliser que je n'agissais pas en fonction de moi: je voulais plutôt offrir une belle image à ma famille.

Lorsque je rencontrais ma mère, à l'occasion, et qu'elle me demandait comment allait le Centre? si je faisais de l'argent? (pour elle, argent égalait succès), cela me mettait en colère. Car derrière ses paroles, j'entendais celles de mon deuxième père, pourtant décédé. Je luttais contre cette image d'être une ratée (enfouie dans ma mémoire émotionnelle) et le désir de prouver qu'elle était fausse. Cette image, amplifiée par la culpabilité d'avoir reçu plus que les autres, a eu raison de moi et m'a conduite au bord de la faillite. J'ai dû abandonner le Centre dans lequel j'avais investi tout mon avoir et tout mon être.

D'un côté j'étais témoin de tant de merveilleuses transformations chez les participants que j'accueillais dans ce Centre et qui m'avaient offert leur confiance, mais il me fallait voir avec mes yeux et non avec ceux de mes parents. Fort heureusement, j'étais quelquefois à l'écoute de mon Maître intérieur. Il me fit comprendre de tout laisser et de partir. C'est ainsi que je suis partie trois mois à l'étranger. Ce voyage m'a été des plus salutaires. Il m'a permis de faire le point dans ma vie, d'être à l'écoute de ce qui se passait en moi-même. J'ai découvert qu'étant davantage à l'écoute de moi-même, je devenais davantage à l'écoute de ce que la vie, la nature et les expériences que je vivais avaient à m'apprendre. Ce voyage m'a introduite au coeur de la solitude et du détachement. Pendant mon périple, j'ai appris à être heureuse avec presque rien, à apprécier tout ce que je recevais et tout ce que j'avais reçu par le passé. J'ai appris à bénir, à croire et à remercier. J'ai appris qu'il valait mieux être une petite lumière dans l'ombre qu'une grande ombre dans la lumière.

Et c'est ainsi, qu'au retour, je n'avais plus envie de prouver quoi que ce soit à qui que ce soit. J'ai fait ce que j'avais envie de faire, ce qui m'apportait de la joie et une satisfaction personnelle, même si j'étais la seule à le savoir. Que les autres sachent ou voient ce que je faisais n'était plus important, et c'est ainsi qu'en renonçant à vouloir ÊTRE je suis DEVENUE. La sagesse hindoue enseigne:

«Si tu cours après ton ombre, elle sera toujours devant toi; mais marche dans la lumière et retourne-toi doucement, tu verras que l'ombre te suit.

COMMENT ÊTRE SOI-MÊME ET LAISSER NOTRE MOI-RÉEL S'EXPRIMER?

1ÉRE ÉTAPE: DÉCOUVRE QUI TU ES

PREMIÈREMENT:

Prends une feuille de papier, partage-la en deux. Écris d'un côté ce que tu crois être tes faiblesses et de l'autre, tes forces.

Exemple:

mes forces	mes faiblesses
convaincre	dispersion
beaucoup d'idées	temporisatrice
communication	action avant réflexion
débrouillardise	impatience
écrire	orthographe

Regarde comment tu peux utiliser davantage ces forces et dépasser ces faiblesses. Opte pour des activités où tu peux utiliser tes forces mais dans lesquelles tu pourras être aidé au niveau de tes faiblesses.

Si je réalise que je suis souvent l'accélérateur, en ce sens que j'agis souvent trop rapidement, je pourrai prendre conseil d'une personne qui réfléchit avant d'agir.

Si j'ai de la difficulté à me discipliner, j'accepterai qu'une personne m'aide à établir un certain programme que je suivrai.

Deuxièmement:

Deviens observateur de ton entourage non pas pour juger mais afin de mieux te voir. Regarde tout ce que tu admires chez les personnes que tu connais ou que tu rencontres et écris-le.

Exemple:
j'admire la sincérité chez telle personne
j'admire la simplicité ...
j'admire le sens de l'humour ...
j'admire le sens de l'organisation ...
j'admire le respect des autres ...
j'admire l'honnêteté ...
j'admire la douceur ...

Fais la même chose avec les aspects que tu détestes chez ces personnes ou d'autres.

Exemple:
je déteste les menteurs
je déteste ceux qui ne se mêlent pas de leur affaire
je déteste les gens qui crient
je déteste les impatients

je déteste les boudeurs
je déteste les personnes à la dernière minute
je déteste les retardataires

Maintenant, regarde en quoi ces aspects te ressemblent. Dépose ton livre et permets-toi quelques instants de réflexion. Tout ce que l'on admire chez d'autres est la partie de nous-mêmes qui nous appartient. Si elle ne nous appartenait pas, nous ne la verrions même pas. En l'acceptant, tu pourras graduellement la manifester.

LE PHÉNOMÈNE DU MIROIR

Il fut un temps où j'admirais la capacité qu'avait mon professeur de répondre adéquatement à presque toutes les questions. Jamais, à ce moment, je n'aurais pu penser que j'arriverais un jour à répondre aussi adéquatement à tant de questions. Lorsque je l'ai accepté, sans même vraiment m'en rendre compte, j'ai développé cette qualité. Et voilà que ce sont les autres qui me font cette même remarque que j'avais faite à ce professeur. La vérité est au fond de chacun de nous, lorsqu'on se fait confiance, elle émerge.

Il en va de même pour tout ce que nous détestons. C'est également la partie de nous-mêmes qui nous appartient, mais que nous ne croyons pas avoir. C'est en l'acceptant que l'on arrive à la dépasser.

Jésus disait: «**Il est plus facile de voir la paille dans l'oeil de son voisin, que la poutre dans le sien.**»

L'un des aspects qui me dérangeait le plus chez les autres était les gens qui ne se mêlent pas de leurs affaires. Pourtant, j'étais convaincue que moi je me mêlais des miennes. Combien de fois ai-je voulu aider ma famille sans qu'on me le demande, ou ai-je donné des opinions ou des conseils qu'on ne m'avait pas demandés? Je ne me mêlais pas plus de mes affaires que les personnes à qui je le reprochais.

Cette dualité peut se manifester d'une façon différente, mais le résultat est le même. Je peux détester les menteurs et me mentir à moi-même. Mais comment puis-je à la fois admirer les gens honnêtes et détester les gens malhonnêtes? Suis-je les deux?

En fait, comme la grande majorité des êtres humains, nous possédons la dualité d'un mental supérieur et d'un mental inférieur. Lorsque nous sommes dans notre mental supérieur, nous nous sentons bien avec nous-mêmes ou avec notre moi-réel. Tandis que lorsque nous basculons vers notre mental inférieur, nous nous sentons en contradiction avec notre moi-réel. En d'autres mots, lorsque je suis honnête, je me sens bien avec moi-même. Mais lorsqu'il m'arrive d'agir malhonnêtement, (soit par mensonge ou tricherie), je ne me sens pas bien.

TROISIÈMEMENT:

À présent, associe des aspects que tu admires ou que tu détestes à des personnes qui ont eu ou ont présentement une certaine importance dans ta vie. La question à se poser est: «Qui est comme cet aspect que j'admire ou que je déteste?»

Ce second exercice, en plus de nous aider à nous découvrir, a aussi comme avantage de nous aider à nous libérer des jugements et des critiques à l'égard des autres.

Exemple: **ordonnée** = ma tante Angèle
                 douce = une religieuse au couvent
                 ne se mêlait pas de ses affaires = mon frère
                 personne violente = mon père
                 personne paresseuse = mon oncle Paul
                 personne tricheuse = mon oncle Charles

Continue. Cela t'aidera, lors du prochain chapitre, à savoir ce que tu as à libérer envers ces personnes. Tu découvriras que l'on reproduit nous-mêmes les aspects que l'on a rejetés chez d'autres.

2ième étape: Découvre tes peurs

Quelles sont les peurs qui t'empêchent d'être toi-même? Tu peux penser à des situations qui t'ont chagriné, blessé ou qui ont laissé des marques.

En général, nous avons peur de revivre des situations qui furent douloureuses et c'est par protection que nous élevons des façades autour de nous. Si nous avons peur de revivre une situation de rejet, nous laisserons difficilement les autres s'approcher de nous. De loin ça va, mais trop près de notre intimité, nous devenons méfiant. Et si nous recevons de l'amour, nous devrons en donner et cela nous fait peur. Qu'exigeront-ils en retour? Si j'aime cette personne et qu'elle me rejette, pourrai-je surmonter un nouveau rejet? Aussi, je préfère être en sécurité dans ma tour que je connais, plutôt que de risquer d'être anéanti par un nouveau rejet. Chacune de nos peurs fait que nous voulons nous protéger et c'est bien ce qui nous empêche le plus d'être nous-mêmes.

Observe bien à quelle occasion tu es le plus toi-même. Tu verras que chaque fois que tu te sens en confiance, en sécurité et aimé, sans qu'il y ait danger d'être manipulé, abusé, exploité, possédé, rejeté ou que tu n'as rien à prouver, il t'est facile d'être toi-même. Et plus tu es toi-même, plus les autres sont eux-mêmes, car eux aussi se sentent en sécurité. Donc, pour arriver à être de plus en plus toi-même, tu auras à prendre le risque de montrer ce que tu as peur de montrer.

J'ai vécu une expérience très révélatrice à ce sujet lorsque j'avais dix-neuf ans. J'étais alors étudiante et j'avais obtenu un emploi d'été au YMCA à Montréal. Il consistait à enseigner le français à des enfants allophones. Nous étions un groupe à recevoir la formation préalable. À la fin de cette formation, le groupe se divisait en quatre sous-groupes d'environ une dizaine de moniteurs qui auraient à travailler ensemble. Parmi les membres du sous-groupe auquel j'appartenais, l'un d'eux a eu la brillante idée de jouer au jeu de la vérité. Ce jeu consistait à se dire tout ce que nous avions pensé, durant le stage, des personnes avec lesquelles nous allions travailler.

En cercle, à tour de rôle, chacun et chacune partagent leurs impressions. J'étais l'une des dernières à parler. À tour de rôle, parlant de moi, toutes les personnes m'ont dit comment elles m'avaient trouvée hautaine, snob, détestable, désagréable, etc. Voilà comment ces personnes avaient perçu ma carapace de protection! Plutôt que de m'admettre que je doutais qu'on puisse m'aimer, je préférais me convaincre que je valais plus qu'eux. En ce sens, je les rejetais avant même qu'ils puissent me rejeter. Mon orgueil était sauvé et mon complexe d'infériorité bien dissimulé. Si je n'avais pas tant tenu à cet emploi, j'aurais sûrement fait ce que j'ai fait nombre de fois, c'est-à-dire: partir.

Comme j'ai choisi de poursuivre, j'ai joué le tout pour le tout. J'ai pris le risque de me montrer telle que j'étais et d'enlever mon masque. Quand est venu mon tour, j'ai dit la vérité. Je leur ai avoué que je ne savais pas et que je n'avais jamais su fonctionner en groupe; qu'au fond de moi j'étais paralysée par la peur d'être rejetée. Je leur ai aussi demandé s'ils voulaient m'aider. Ce fut un été extraordinaire que je n'oublierai jamais. Tous me tendaient la main. C'était la première fois que je pouvais être parfaitement à l'aise dans un groupe.

On ne peut raisonner une peur. On la fuit ou on l'affronte. La fuir ne règle rien. De plus, quand on prend une décision basée sur la peur, ce n'est jamais une bonne décision.

À titre d'exemples, voici quelques mécanismes de défense qu'on peut emprunter:

- Tu as peur d'être rejeté face à un groupe = *tu t'isoles ou tu le rejettes.*

- Tu as peur d'être déçu = *tu n'entreprends rien.*

- Tu as peur de déplaire = *tu essaies de plaire à tout le monde et tu déplais à tous.*

- Tu as peur de dire non = *tu dis oui et tu t'en veux de te faire avoir ou tu en veux aux autres de t'exploiter.*

- Tu as peur de faire de la peine = *tu ravales ce que tu as à dire.*

- Tu as peur de devoir quelque chose = *tu ne veux rien recevoir.*

- Tu as peur d'avoir plus que les autres = *tu détruis ce que tu as ou tu te prives d'avoir ce que tu désires.*

- Tu as peur de déranger = *tu t'arranges tout seul, alors que tu aurais besoin d'aide.*

- Tu as peur de manquer d'argent = *tu achètes le prix et non pas ce que tu désires.*

- Tu as peur de ce qu'on va dire ou penser = *tu agis en fonction des autres.*

Pour sortir de ce piège, demande-toi: «Moi, qu'est-ce que je veux vraiment?»

Prends le risque de: déplaire
de décevoir
de dire non
de déranger
d'être déçu
de devoir quelque chose
d'être rejeté
d'être refusé

Tu te rendras vite compte que c'est lorsque l'on se plaît à soi-même, qu'on plaît le plus aux autres. De plus, c'est lorsque l'on veut le moins faire de la peine qu'on en fait le plus.

Donc, à partir de maintenant, chaque fois que tu hésiteras à dire ou à faire quelque chose, demande-toi: «Quelle est la peur qui se cache derrière cette hésitation?» Lorsque tu n'as rien à perdre et peut-être tout à gagner, fais-le sans hésiter.

Parmi toutes ces peurs que nous vivons, la peur de se tromper est souvent celle qui paralyse le plus nos actions. Lorsque j'étais en microbiologie, j'avais très envie d'investir du côté des médecines douces. Mais la peur de faire une erreur, de perdre ce que j'avais mis des années à acquérir, me paralysait. Je n'arrivais pas à me décider. Puis un jour, l'un de mes maîtres me dit: «Tu sais, dans la vie on ne fait jamais d'erreurs, quoi qu'on fasse, ce sont des expériences dans notre évolution. Et, qu'es-tu venue faire sur la terre, sinon évoluer?» Ces paroles me suffirent pour passer à l'action. Jusqu'à ce jour-là, mon conjoint ne m'avait jamais encouragée à quitter mon emploi. Lorsque nous avons peur, ou que nous doutons de nous-mêmes, nous attirons des personnes qui nous projettent nos propres peurs et nos propres doutes. Elles nous disent: «Penses-y, tu n'auras jamais

31

le salaire que tu fais, tu ne pourras jamais avoir un si bon emploi, etc.» Le jour où j'ai fait face à mes propres peurs, où j'ai été décidée, mon conjoint m'a encouragée.

La confiance est le meilleur antidote à la peur et pour développer cette confiance, il faut développer la volonté de **croire en soi**.

LA VOLONTÉ DE CROIRE EN SOI

Cette volonté peut être temporaire ou maintenue. Cependant, cette volonté maintenue te conduira où tu veux aller, t'aidera à développer les talents qui sont en toi et te permettra de monter sans écraser les autres. Cette volonté ne nous est pas donnée à la naissance, c'est à travers nos expériences de vie que nous la développons.

COMMENT DÉVELOPPER LA VOLONTÉ DE CROIRE EN SOI?

• En s'acceptant tel que l'on est.

• En s'appréciant au lieu de se déprécier.

• En se lançant des défis, en prenant des risques.

• En faisant face à nos propres peurs.

• En surmontant la peur des jugements.

• En se considérant aussi important que tout le monde.

3IÈME ÉTAPE: DÉCOUVRE LA PUISSANCE DE TES PENSÉES

William James, le père de la psychologie moderne, a déclaré que la plus grande découverte de sa génération a été que les humains, en changeant leurs attitudes intérieures, c'est-à-dire leurs pensées, pouvaient changer les aspects extérieurs de leur vie.

Si tu es convaincu que ce sont les pensées que tu as de toi-même qui façonnent le monde qui t'entoure, transforme les pensées négatives que tu entretiens et tu verras le monde autour de toi se transformer.

Ce qui est important n'est pas ce que les autres pensent de toi, mais ce que toi tu penses de toi-même. Si tu vis dans la joie calme et profonde d'être toi, tu n'auras nul besoin de compliments extérieurs pour te convaincre que tu es formidable.

L'appréciation de soi est contagieuse. Si tu t'estimes, tu contribues automatiquement à l'épanouissement des gens qui t'entourent. Car la façon dont tu t'apprécies, affecte directement ta façon de vivre et tes relations avec les autres.

Nos pensées ont un pouvoir magnétique d'attraction. Quelle que soit la pensée émise, elle attire l'énergie correspondante. Si je pense que les hommes sont égoïstes j'attirerai soit des hommes égoïstes ou encore des femmes qui se plaindront d'avoir un mari égoïste.

LE MONDE DANS LEQUEL ON VIT
EST LE REFLET DE NOS PROPRES PENSÉES

Si je pense que ça va mal dans le monde, je n'entendrai parler que de violence, de crime, de suicide ou de guerre. Si je pense que le monde est en train de changer pour un monde meilleur, j'entendrai de plus en plus parler de mouvements de paix, de coopération. J'attirerai des articles où l'on parle des industries qui travaillent à la protection de l'environnement, etc. Cela ne signifie pas que l'autre monde n'existe pas, mais mon monde à moi se bâtira sur la foi et l'espoir d'un monde meilleur. Je verrai ainsi ma vie s'améliorer de jour en jour. Par contre, si je pense que ça va mal dans le monde, je vivrai une forme de découragement qui attirera dans mon monde défaites, difficultés et pertes.

«Celui qui travaille à créer l'harmonie, crée les conditions pour que les meilleures choses lui arrivent». «Celui qui crée la disharmonie crée les conditions pour que les meilleures choses s'effritent».

L'harmonie, comme la disharmonie, sont constituées de nos pensées, paroles, actions et réactions. Combien de fausses croyances que nous avons fait nôtres par le passé, ont encore un pouvoir d'attraction non favorable dans nos vies!

Parmis ces fausses croyances, nous retrouvons:

- Il faut souffrir pour être belle.
- Quand on est valet on n'est pas roi.
- Qui rit vendredi pleure le dimanche.
- Un malheur n'arrive jamais seul.
- Les gros mangent les petits.
- Il faut gagner son ciel sur la terre.
- Il faut gagner son pain à la sueur de son front.
- Quand on est né pour un p'tit pain.
- Plus on est riche, plus on est seul.
- Il n'y a qu'une justice et c'est la mort.
- Qui lâche son marteau prend son tombeau.
- La vie c'est l'enfer.
- L'argent ne fait pas le bonheur.
- La beauté n'apporte pas à manger.
- Qui prend mari prend pays.
- Vaut mieux être pauvre et en santé, que riche et malade.
- On ne peut pas tout avoir.
- C'est trop beau pour être vrai.
- Faut payer pour apprendre.
- Ca pourrait aller mieux mais ça coûterait plus cher.
- La vie est un combat dont la palme est aux cieux.
- On ne s'en sortira pas vivant.
- Tu vas me faire mourir.
- Une émotion pareille ça fait vieillir de dix ans.

Si tu acceptes ces fausses croyances, elles auront des répercussions dans ta vie.

Il fut un temps, où inconsciemment, j'avais accepté certaines de ces fausses croyances. À titre d'exemple: «Il faut payer pour apprendre» me disais-je souvent. Plus j'apprenais, plus je m'endettais. Il a fallu que je me rende jusqu'à 50,000.$ de dettes pour prendre conscience du pouvoir de cette affirmation. Depuis je l'ai changée par: «On me paie pour apprendre». Et c'est ce que je vis présentement.

Une autre croyance que j'avais acceptée était: «On ne peut pas tout avoir.» Un moment donné je me suis demandée pourquoi n'ai-je pas le compagnon idéal dans ma vie? Et j'ai réalisé que si j'avais ce compagnon, j'aurais tout ce que je peux désirer. Aussi, aujourd'hui, j'accepte qu'on peut tout avoir. Une compagne de travail disait souvent: «Pourvu que j'aie assez d'argent pour payer ce que je dois.» Effectivement, elle en avait toujours assez, pas plus. Une autre fois, j'écrivais que «La vie est un long escalier et qu'il est dommage que tant de gens attendent l'ascenseur». Le lendemain j'étais dans un grand hôtel au neuvième étage et je devais me rendre à un rendez-vous important à Québec. J'étais pressée. Je me présente donc à la porte de l'ascenseur avec tous mes bagages. Il y avait une panne d'électricité. Même la génératrice d'urgence était en panne. J'ai dû descendre tous mes bagages par l'escalier de service.

Le surlendemain, je me rendais à Alma pour un atelier de fin de semaine, à nouveau avec tous mes bagages. J'habitais au septième étage d'une conciergerie. Voilà qu'à nouveau, l'ascenseur est hors de service. J'ai alors pensé: «Mais qu'est-ce qui se passe avec les ascenseurs?» Alors je me suis rappelée cette phrase que j'avais écrite. Je l'ai annulée et j'ai accepté que la vie est un escalier mais qu'on peut aussi prendre l'ascenseur. Depuis ce jour, je n'ai plus aucun problème avec les ascenseurs.

Nombre de personnes, ayant pourtant lu des volumes sur la puissance du subconscient, continuent parfois à utiliser, dans leur vocabulaire, des mots de basse vibration qui leur attirent l'équivalent au plan énergétique.

Par exemple:

- Ca va pas si mal, pas si **pire** = (ça va mal mais pas tant que ça)
- Ca vaut la **peine** = (ça vaut de la peine)
- J'ai de la **misère**
- C'est **épouvantable**
- C'est **affreux**
- C'est **effrayant**

- C'est **pas possible**
- C'est **terrible**
- C'est **pas croyable**

IL Y A AUSSI TOUS CES PATOIS QUE L'ON UTILISE:

- **Crime** = C'est beau en crime!
- **Méchant** = C'est une méchante bonne idée!
- **Terrible** = C'est terrible comme c'est beau!
- **C'est l'enfer!**
- **Sainte misère!**
- **Petite vie!**
- **C'est écoeurant comme il fait beau!**
- **Et bien d'autres encore.**

IL Y A ÉGALEMENT LES DIMINUTIFS:

- **Un p'tit gars**
- **Tit Jean**
- **P'tit Gilles**
- **Pauvre p'tite fille**
- **Pauvre maman**

UNE PERSONNE AVAIT COMME PATOIS: «SUPER»

À chacune de ses phrases, il y avait un super et dans sa vie tout était SUPER. Son seul problème provenait du fait de se sentir coupable d'avoir tant, comparé aux autres. Lorsqu'elle s'est libérée de ce sentiment d'avoir plus que les autres, sa vie fut encore plus SUPER.

Deviens donc plus attentif à ces paroles, dictons, patois, diminutifs et change-les:

- Ca va pas si mal par ça va pas si bien (si tel est le cas).
- Ca vaut la peine par ça vaut la joie, le plaisir, l'effort ou le coût.
- J'ai de la misère par j'éprouve une certaine difficulté, mais je sais que ça va s'arranger.

- C'est épouvantable par c'est **formidable**.
- C'est effrayant par c'est **extraordinaire**.
- C'est pas possible par c'est **fantastique**.
- C'est terrible par c'est **remarquable**.
- C'est pas croyable par c'est **merveilleux**.
- C'est beau en crime par **super**.
- Méchante bonne idée par **merveilleuse** idée.
- Terrible par c'est **extra**.
- C'est l'enfer par c'est **le party**.
- Sainte misère par bonne **grâce**.
- Petite vie par nouvelle **vie**.
- C'est écoeurant par c'est **sensationnel**.
- P'tit gars par un gars **sympathique**.
- Pauvre fille ou pauvre maman par **chère fille, chère maman**.

AUTANT TU ES CE QUE TU PENSES QUE TU ES, AUTANT TU AURAS TOUJOURS CE QUE TU PENSES QUE TU VAUX

Si tu crois que tu vaux un salaire de 12,000.$ par année, tu n'auras pas 15,000.$ ou 20,000.$, et si tu en trouves un, tu ne le garderas pas. Si tu crois que tu ne vaux pas mieux que les restes des autres, tu auras toujours les miettes. Si tu crois que tu vaux un sous-sol, tu n'auras pas un appartement de luxe. Si tu crois que tu ne peux avoir mieux qu'un homme jaloux, possessif et autoritaire, tu n'auras pas mieux. Cependant, si tu crois que tu vaux du neuf, tu attireras le neuf.

ON ATTIRE CE QUE L'ON PENSE QUE L'ON VAUT

Lorsqu'elle était enfant, l'une de mes amies n'acceptait pas que sa mère, qui était couturière, confectionne de beaux vêtements aux autres, tandis qu'elle portait les vêtements usagés qu'on lui donnait. Adulte, elle est encore entourée de choses provenant des autres. Moi, je crois que le neuf me convient parfaitement. Aussi j'attire toujours du neuf; voiture, maison, objets, etc. Un jour, cette amie m'invite à dormir chez elle. La seule paire de draps neufs qu'elle s'était offerts et qu'elle n'avait pas encore utilisés, elle les a placés dans mon lit. Cet événement m'a fait sourire et m'a confirmé que l'on attire ce que l'on pense que l'on vaut.

Ce n'est pas ce que tu es qui t'empêche de réaliser tes désirs les plus profonds, mais les pensées que tu entretiens. Aussi, grâce à des pensées et affirmations positives, il t'arrivera ce que tu vaux, ce que tu veux.

En voici quelques exemples:

- Je vais y arriver.

- Je veux et je peux.

- Tout va bien.

- Je suis en confiance, ça va s'arranger.

- Le meilleur est pour moi.

- Je rencontre seulement des gens extraordinaires.

- J'ai du talent.

- Je suis en paix.

- J'ai de bons yeux.

- J'ai plein de potentiel.

- J'ai de la mémoire.

- Ca va marcher.

- Je suis protégé.

- La vie est merveilleuse.

- Je vis de plus en plus dans l'abondance.

- Je vis de mieux en mieux.

Quelquefois, une phrase courte, répétée avec volonté et détermination, vaut plus qu'une longue affirmation répétée sans conviction. Il a été dit: «**Il te sera fait selon ta foi**».

Ce qui est merveilleux, c'est qu'il nous est donné le choix d'utiliser cette énergie de manière qu'elle nous soit favorable ou défavorable. Si je dois débuter un nouvel emploi et que j'ai peur de ne pas être à la hauteur, j'ai le choix de me dire: «Je n'y arriverai jamais, c'est trop pour moi, c'est plus difficile et complexe que je ne l'avais pensé.» J'attirerai, par ces pensées, que le patron me signifie que je ne réponds pas aux critères du poste et qu'il me renvoie. À l'inverse, bien que j'aie peur de ne pas y arriver, de ne pas être à la hauteur, je me répète: «J'ai tout en moi pour réussir et je réussirai en tout.» Ces paroles produiront en moi un effet de motivation et j'attirerai des énergies positives qui me soutiendront et graduellement je réussirai. Voici, pour terminer, une affirmation qui peut beaucoup t'aider à développer une image positive de toi-même et à surmonter un sentiment d'infériorité:

Je suis une personne formidable et aussi importante que les autres. Je réalise que je peux beaucoup et que les autres m'apprécient beaucoup. Chaque jour je réussis de mieux en mieux ce que j'entreprends.

4ième étape: Cesse d'attendre l'approbation des autres

Vouloir être ce que nous croyons que les autres attendent de nous, voilà une autre façon qui nous empêche d'être soi-même. Se libérer du besoin continuel d'être approuvé nous permet d'exprimer davantage notre moi-réel. Lorsqu'on veut plaire à tout le monde, on renonce à soi-même. Ce besoin de plaire, d'être approuvé, a également ses racines dans notre enfance. Etre approuvé égalait être aimé, être correct.

Philippe a un père exigeant

Philippe est le premier fils de sa famille. Son père, un homme bien en vue dans la société, nourrit de grandes ambitions pour son fils. Lorsque Philippe apporte un résultat scolaire, ce n'est jamais suffisant pour son père. S'il a 80% son père lui dit: «Tu aurais pu avoir 90%». Philippe redouble d'efforts mais chaque fois c'est pareil. S'il n'a pas 100%, alors ce n'est pas suffisant. Philippe s'effondre et pense: «Je n'arriverai jamais à plaire à ceux que j'aime; je ne suis pas suffisamment bon. Mon père mérite un meilleur fils que moi». Voilà l'image que Philippe a de lui-même: celle de ne pas être à la hauteur de ce qu'on attend de lui. Et plutôt que de revivre ce sentiment d'infériorité vécu face à son père, il préfère ne rien entreprendre. Bien qu'il soit rempli de possibilités, il choisit un emploi routinier où il n'a pas à prendre de décisions par lui-même. Mais en même temps, il vit avec un profond sentiment d'échec et d'infériorité.

Comment Philippe a-t-il pu regagner sa dignité? C'est lorsqu'il comprit que dans son amour, son père le voyait «parfait». Lui aurait-il demandé 100% s'il avait pensé qu'il ne pouvait donner que 70%? Il dut se libérer de son désir de vouloir être approuvé, regagner sa propre confiance et s'évaluer lui-même en se demandant: «Suis-je satisfait de ce que j'ai fait, ai-je fait du mieux que je pouvais? Qu'est-ce que je pourrais améliorer une prochaine fois?»

ALINE A TOUT POUR RÉUSSIR

Aline réussit très bien à l'école. Elle arrive toujours parmi les premières. Chaque fois qu'elle montre son bulletin à sa mère, elle lui répète: «Tu peux faire mieux.» Aline fait des efforts mais sa mère ne les souligne pas et elle se décourage. Elle perd alors confiance en elle. «À quoi bon faire des efforts si elle ne les remarque même pas!» se dit-elle. À la fin de son secondaire, son père lui demande de renoncer à son projet de faire des études supérieures au profit de son frère, alléguant qu'elle n'a pas besoin d'être aussi instruite pour élever des enfants, compte tenu que c'est son mari qui la fera vivre.

Toute sa vie elle se dira: «Je peux faire mieux», mais n'entreprendra jamais rien si elle n'a pas l'appui de quelqu'un, ou bien elle se découragera si elle n'est pas complimentée pour son travail et ses efforts. Aline est remplie de possibilités mais elle se contente d'un emploi qui ne convient pas à ses capacités intellectuelles.

Comment Aline a-t-elle pu s'en sortir?

En admettant qu'elle avait toujours compté sur l'appui ou l'approbation des autres pour poser un geste, entreprendre une démarche seule ou affronter l'inconnu. Elle dut, comme Philippe, se libérer de son besoin d'être approuvée et appréciée pour tout ce qu'elle fait. C'est en prenant des risques calculés, en tentant des expériences insécurisantes qu'elle réussit à se prendre en main et cesser d'avoir des attentes envers son entourage.

Deviens ton seul juge. Cela n'exclut pas de prendre l'opinion des autres, mais ne la prends que si tu sens qu'elle peut t'aider, ne la prends surtout pas pour te démolir. Plus tu seras toi-même, plus ton moi-réel se révèlera.

Ce moi-réel, c'est ta partie immuable, c'est ton potentiel acquis. En fait, tu pourrais être tout ce que tu désires à condition d'être prêt à y investir la volonté, l'action et la persévérance.

Richard Bach, dans son volume «Illusion ou le Messie récalcitrant», disait: «Il ne t'est jamais donné un désir sans le pouvoir de le rendre réalité». Plus tu seras toi-même, plus tu seras une richesse pour ton entourage car ton potentiel pourra se manifester. Tu peux prendre modèle sur une autre personne pendant un certain temps, si cela peut t'aider et te motiver à te dépasser. Mais, attention au piège de l'idolâtrie. Lorsque tu places une personne sur un piédestal, toi tu es toujours en-dessous et cela limite ce que toi-même tu pourrais exprimer.

Par le passé, lorsque je rencontrais des personnes ayant des titres ou plus de diplômes que moi, je vivais un sentiment d'infériorité. J'ai pu dépasser ce sentiment en acceptant que nous sommes tous à la fois enseignants et apprenants. En étant moi-même, c'est ainsi que je pouvais le plus leur apprendre et m'ouvrir à ce qu'ils pouvaient m'apprendre. Certaines personnes se ferment à ce que les autres désirent leur apprendre à cause de ce sentiment d'infériorité.

Seul est prétentieux celui qui doute de sa vraie valeur. Souhaiter être autre que toi-même, agir en fonction de ce que tu crois que l'on attend de toi ou essayer d'être comme une autre personne, c'est t'appauvrir toi-même et priver ton entourage de la vraie valeur que tu es: TOI.

Comment faire alors pour se débarrasser des liens du passé, des entraves qui nous empêchent d'être nous-mêmes, de se réaliser? C'est ce que nous verrons au prochain chapitre.

CHAPITRE II

LA MÉMOIRE ÉMOTIONNELLE

«La souffrance est un correctif qui met en lumière la leçon que nous n'aurions pas comprise par d'autres moyens et elle ne peut jamais être éliminée, tant que cette leçon n'a pas été apprise» (Dr Edward Bach).

À maintes reprises, certaines situations ont suscité en moi de nombreuses interrogations. En voici quelques-unes: «Pourquoi certaines familles semblent-elles prédestinées au bonheur, alors que d'autres semblent vouées à la maladie, l'échec ou le malheur? Est-ce la destinée? Le karma? Pourquoi naissons-nous dans une famille plutôt que dans une autre? Pourquoi, lorsque je désire tant être aimée d'un homme, ce dernier me fuit-il, alors que ceux qui s'intéressent à moi ne m'intéressent pas? Pourquoi, chaque fois que je suis heureuse, un événement équivalent en tristesse survient-il très peu de temps après?»

Un jour, je me suis arrêtée et j'ai pensé: «J'ai sûrement décidé que je ne méritais pas d'être heureuse!» Mais alors! Quand et pourquoi? Où trouver mes réponses? J'ai fréquenté plusieurs écoles de pensée avant de découvrir que la source de notre souffrance a ses racines dans notre mémoire émotionnelle.

MON PROPRE CHEMINEMENT

Je suis née d'un père alcoolique et violent, que j'ai connu l'espace de ma vie foetale et qui est disparu de ma vie avant ma naissance. Passant la grande majorité de mon enfance en foyer monoparental, et ayant pour modèle la famille unie de ma meilleure amie, j'en ai conclu que le bonheur, c'était d'avoir une famille. Pour

43

ma mère, qui travaillait sous pression dans une manufacture de vêtements, le bonheur c'était d'avoir un bon emploi lucratif. J'en ai déduit que pour avoir un bon emploi lucratif, il fallait étudier et acquérir le plus de connaissances possible. Ainsi mes objectifs de vie étaient bien définis: étudier, afin d'obtenir un bon emploi lucratif et fonder une famille unie.

Lorsque je me suis mariée, à l'âge de vingt-deux ans, j'avais presque atteint mon premier objectif, car je terminais mes études et un bon emploi m'attendait. J'ai alors pensé: «À présent, tout ce que je désire, c'est rendre mon mari et mes enfants heureux.» J'avais un très bon mari. Cependant j'avais la nette certitude que la politique à laquelle il s'intéressait, était plus motivante que moi. J'avais l'impression de faire partie des meubles de la maison. Et plus je le harcelais pour qu'il soit à la maison, plus il était à l'extérieur. J'ai utilisé tous les stratagèmes que je connaissais pour me l'approprier, y compris la manipulation par la maladie et le découragement. Je n'arrivais à le «posséder» que quelques heures. Lasse de tous ces efforts, j'ai commencé à penser qu'il n'était pas celui avec lequel j'arriverais à former ma famille unie, selon mon objectif premier.

C'est à ce moment-là que j'ai commencé à réaliser qu'on ne tourne pas le dos à son passé de la même façon qu'on endosse un nouveau vêtement. Notre présent porte les fruits de nos semences passées. Voilà ce que la période de vingt-deux à trente-deux ans allait m'apprendre, en plus de faire naître en moi bien d'autres remises en question.

J'ai alors décidé que tant qu'à vivre seule à deux, je préférais vivre seule, seule...du moins jusqu'au jour où je rencontrerai mon prince charmant qui, lui, comblera tous mes besoins et sera la source de mon bonheur. Ah! les belles illusions cachées dans les contes de fée et qu'on ne révèle à personne, mais qu'on porte au plus profond de soi!

Survint alors un petit accident de parcours, si je peux l'appeler ainsi. Quelque temps avant le moment prévu de la séparation, j'ai découvert que j'étais enceinte. Voilà que mon rêve de famille unie s'écroulait. J'ai songé à l'avortement afin de réajuster les règles de mon jeu, mais je me suis sentie incapable de poser ce geste-là. Cette petite vie que je portais était plus forte que tous mes rêves.

Je n'avais pas oublié pour autant mon objectif de fonder une famille unie. Après la naissance de ma fille, j'ai tenté de reconquérir celui qui, selon les rites du mariage, m'appartenait. Comme cette nouvelle tentative échoua, je le quittai, espérant qu'un jour j'atteindrais mon objectif.

Quatre ans plus tard, voilà que je rencontre celui sur lequel je mise le tout pour le tout: un homme doux, gentil, qui connaît peu de choses en ce qui concerne la vie et les relations affectives. Un homme à qui je peux beaucoup apporter et qui a besoin de moi. Ensemble nous avons un enfant qui, je l'espère, sera le maillon unissant la petite soeur, le père et la mère. Enfin mes espoirs de voir naître ma famille unie se réaliseront.

Mais, inconsciemment, j'en avais décidé autrement. Mon premier conjoint s'était jeté dans la politique et le deuxième, dans son travail, à tel point que je me retrouvais le plus souvent seule à la maison, frustrée, à attendre mon prince charmant. Je revivais de nouveau la solitude que j'avais toujours ressentie lorsque j'étais enfant quand j'attendais à la fois le retour de ma mère et secrètement, par mes fantasmes, celui de mon père, bien qu'il fut décédé.

Je constatai alors que je revivais toujours la même situation de souffrance mais j'ignorais totalement comment m'en sortir. Je pensais parfois: «Si ça ne marche pas avec celui-là, ça ne marchera jamais avec personne.» De telles pensées d'échec et de défaitisme m'ont entraînée au coeur d'une dépression qui se manifestait chaque fois que je me sentais rejetée ou abandonnée.

Un jour, au plus profond d'une crise de découragement, j'eus la chance d'être soignée par une infirmière qui me prodigua tellement d'amour, que j'entrevis une lueur d'espoir; c'était la lumière au bout du tunnel. Cette petite lumière m'a donné suffisamment de motivation pour avoir envie de quitter ce labyrinthe dans lequel j'étais engagée depuis des années.

À la lumière des nombreuses thérapies que j'ai animées depuis bientôt sept ans, je suis en mesure d'affirmer qu'environ 80% des émotions que nous vivons ont leurs racines dans les événements que nous avons vécus entre zéro et douze ans. Toutes ces émotions ressenties sont enregistrées dans notre mémoire émotionnelle.

45

QU'EST-CE QUE LA MÉMOIRE ÉMOTIONNELLE?

Il peut être tout à fait nouveau pour certains lecteurs d'entendre parler de la mémoire émotionnelle. La mémoire émotionnelle correspond à la zone cérébrale appelée aussi cerveau limbique. C'est la plaque tournante du cerveau qui assume deux fonctions capitales: soit la sélection et la mémorisation des émotions.

Voici un exemple. Qui ne connaît pas l'expression «Chat échaudé craint l'eau froide!» Pourquoi le chat craint-il l'eau froide? Parce que dans sa mémoire émotionnelle, il y a l'image: eau = danger, brûlure = fuite. Si par contre, un jour de pluie le chat rentre tout trempé et que sa maîtresse le câline plus qu'à l'habitude parce qu'elle l'a oublié dehors, l'équation est: être trempé = avoir de l'affection. Il existe plus de chances que notre chat recherche les occasions d'être trempé.

PRENONS LE CAS DE MARIE

À l'âge de cinq ans, Marie reçoit une fessée de son père qui ne supporte pas qu'on lui tienne tête. Pour Marie, son père qu'elle aime représente l'autorité et la violence. Dans sa mémoire émotionnelle l'équation est: personne autoritaire et violente = elle ne m'aime pas. Son réflexe consiste à fuir toute personne qui détient de l'autorité ou semble autoritaire par sa voix ou ses agissements. Elle se sent plutôt attirée par des personnes souples et compréhensives. Par contre, c'est elle qui leur manifeste de l'autorité et supporte difficilement d'être contrariée.

Regardons le cas de Marie sous un autre angle. Le père de Marie ne communique que très rarement avec elle. Ses affaires occupent la majorité de son temps. Quand il est à la maison, il ne faut pas faire de bruit car il est fatigué et renfrogné. Les seuls moments où il fait attention à Marie c'est pour lui administrer une fessée ou la gronder. Dans sa mémoire émotionnelle, l'équation est: être battue ou grondée = on s'occupe de moi. Inconsciemment, Marie s'attire un conjoint indifférent et absent. Le seul moyen dont elle dispose pour attirer son attention consiste à le pousser à bout afin qu'il se jette sur elle et la batte (comme son père).

Cela peut choquer certains lecteurs qui penseront: «Aucune personne ne désire être battue.». C'est là qu'il faut s'arrêter et se demander: «Est-ce par hasard, par chance ou malchance que je vis cet événement dans ma vie?».

Pour répondre à cette question, je t'invite à prendre un papier et un crayon et à y inscrire tous les événements dont tu peux te souvenir (ou que l'on t'a racontés), qui t'ont fait de la peine ou qui t'ont marqué lorsque tu étais enfant. Fais-le par périodes, soit de zéro à sept ans; de huit à quatorze ans; de quinze à vingt et un ans. Revis ces périodes et regarde comment était ton environnement familial et social face à l'autorité, l'argent, la sexualité, le travail, la justice, la religion, la mort, etc.

Voici quelques exemples:

· Perte d'un être qui t'était cher, soit ton père, ta mère, un grand-père ou une grand-mère auquel tu étais attaché, ou encore perte d'un petit frère, petite soeur, ami(e) ou autre.

· Séparation de ta famille, soit pour aller dans un collège, pensionnat, ou encore séparation de tes parents.

· Peut-être es-tu une fille alors que l'on désirait un garçon ou l'inverse?

· Te sentais-tu de trop dans ta famille, ou encore avais-tu un frère ou une soeur qu'on préférait à toi?

· As-tu vécu de la violence verbale ou physique?

· Aurais-tu été accusé injustement ou t'aurait-on tenu responsable de ce qui est arrivé à une autre personne?

· Aurais-tu vécu une forme d'abus sexuel?

· Te sentais-tu toujours critiqué par une personne qui représentait l'autorité?

· Etais-tu le souffre-douleur de ton père ou ta mère?

· Etais-tu en proie à la jalousie d'un ou des membres de ta famille?

· Te sentais-tu brimé dans ta liberté d'être ou d'agir?

Bref, retrouve autant de situations à caractère négatif dont ta mémoire pourrait être alourdie.

Accorde-toi une pause de quelques minutes.

47

Maintenant, prends une autre feuille de papier et écris cette fois les paroles blessantes ou dénigrantes que l'on t'aurait adressées ou encore que tu aurais entendues à ton sujet.

En voici quelques exemples:

- «Toi, tu n'es pas comme les autres»
- «Tu ne feras jamais rien de bon dans ta vie»
- «Tu es un paresseux, un fainéant»
- «Tu es un incapable, un bon à rien»
- «Tu n'as pas de tête sur les épaules»
- «Tu es une putain, une salope»
- «Toi, je t'haïs»
- «Tu vas me faire mourir»
- «Tu ne m'apportes que des problèmes»
- «T'aurais pu faire mieux»
- «Tu m'as déçu»
- «T'as une tête de pioche, de cochon»
- «J'ai hâte que tu partes»
- «Tu es moche, tu es laide, tu fais dur»
- «Tu es détestable, personne ne t'aimera jamais»
- «Tu es juste bonne pour faire de la peine aux autres»
- «Si c'était pas des enfants, je partirais»
- «Enfants ingrats»
- «Moi je me suis sacrifié toute ma vie pour vous»
- «Tu es méchant, sans coeur, égoïste»
- «Tu as mauvais caractère»

Permets-toi encore quelques minutes de reflexion afin de laisser émerger tes souvenirs.

Lorsque nous sommes à l'état foetal, nous construisons notre corps avec des matériaux mis à notre disposition par les gênes de notre père et de notre mère. Ainsi construisons-nous notre personnalité psychologique et notre philosophie de vie avec les matériaux disponibles dans notre environnement familial, social et religieux.

Dans mes ateliers de libération de la mémoire émotionnelle, j'appelle cette étape: **le film de sa vie.**

Imaginons notre mémoire comme une cassette vidéo vierge qui serait activée au début de notre conception: nos yeux et nos oreilles étant les parties visuelles et auditives de notre caméra vidéo. Si notre caméra n'enregistre que des scènes de violence, qu'est-ce qu'il y aura sur le film? De la violence. Qu'est-ce que cette cassette vidéo placée dans un magnétoscope pourra projeter sur l'écran de notre vie? ... De la violence. Et si un jour, en ayant assez de voir de la violence à l'écran, je détruis le téléviseur et le magnétoscope; je m'achète un nouveau magnétoscope, un nouveau téléviseur et j'y replace ma cassette? Qu'est-ce que j'y verrai cette fois? D'autres scènes? Bien sûr que non! J'y verrai à nouveau de la violence. Comment ne pas comprendre que le magnétoscope et le téléviseur correspondent aux situations et aux personnes à travers lesquelles se reproduisent les mêmes images de notre passé? À quoi bon briser le magnétoscope et le téléviseur? Vous conviendrez que c'est le film qu'il faut changer. Mais comment? C'est cette réponse que j'ai cherchée pendant des années.

Pourquoi est-ce que 80% de notre vie se joue de zéro à douze ans? Zéro pourrait tout aussi bien se définir comme l'infini, donc tout ce que nous avons vécu avant notre naissance. Pour ceux qui acceptent l'idée de la réincarnation, zéro impliquera toutes les émotions non résolues de nos autres vies. Pour ceux et celles qui ne sont pas à l'aise avec cette idée, zéro correspondra au moment de la conception de l'enfant.

En fait, jusqu'à six ans en moyenne, un enfant vit davantage dans son plan émotionnel que rationnel. C'est pourquoi on parle de sept ans comme étant l'âge de raison, âge où l'enfant commence à utiliser son propre raisonnement et sa logique. On n'a qu'à penser à l'enfant qui croit au Père Noël. À l'âge de trois ou quatre ans, il est bien convaincu que celui qui dépose les cadeaux au pied du sapin est ce bon vieillard descendu du ciel par la cheminée. Lorsqu'il est en mesure d'utiliser son esprit rationnel, il découvre que c'est papa et maman qui les placent sous l'arbre avant le réveil des enfants. Donc, comme cette période est à forte coloration émotionnelle, environ 50% de notre film s'enregistre au cours de cette même période. De six à douze ans, on peut compter sur un autre 30%, puisqu'encore à cette époque, l'enfant vit en fonction des émotions suscitées par son milieu. En général, après dix-huit ou vingt ans, ce n'est que répétition des émotions primaires.

Il nous faudra donc remonter le plus possible aux émotions primaires pour être en mesure d'intervenir au niveau du film de sa vie. Certaines personnes me demandent parfois lors des ateliers ou conférences: «Y a-t-il des émotions primaires qui proviennent d'autres vies? Devons-nous nécessairement tenter de retrouver ce que nous avons vécu dans une autre vie pour expliquer ce que nous vivons dans cette vie-ci?» Puisque nous récoltons les fruits de nos expériences passées, il en va de même pour notre naissance. Ce que nous vivons à notre naissance: rejet, sentiment d'abandon, culpabilité, handicap, etc. est en relation avec ce que nous avons vécu antérieurement. Ainsi, je dirais que dans une proportion de 90%, on peut transformer sa vie et se libérer de plusieurs émotions passées sans avoir besoin de savoir ce que nous avons vécu dans une existence antérieure. Il arrive cependant qu'il soit nécessaire d'y retourner pour expliquer certaine pathologie ou situation stressante à laquelle aucune émotion n'est reliée.

Prenons le cas d'un enfant unique de quatorze ans (dont les deux parents s'aiment beaucoup et l'adorent), qui vit continuellement la peur d'être abandonné par ses parents et qui fait souvent des rêves où il est abandonné. Les rêves appartiennent au plan astral, celui des émotions passées et présentes. Des rêves à répétition sont l'indice d'une forte émotion non libérée.

Dans ce cas-ci, il est permis de penser que cet enfant aurait peut-être vécu une situation d'abandon dans une existence antérieure. On se servira de ce que l'enfant vit dans cette présente vie pour confirmer cette hypothèse et l'aider à se libérer de cette émotion, même si nous n'avons pas la preuve qu'il ait réellement vécu cette situation d'abandon. Je parle de preuve car dans un monde rationnel et scientifique, ce qui n'a pas été prouvé est souvent rejeté et ridiculisé. La preuve qui nous intéresse, nous les intervenants, c'est l'amélioration du bien-être de l'enfant. Si l'enfant se libère graduellement de sa phobie d'être abandonné, quelle importance a la preuve qu'il ait vécu l'abandon dans son imagination d'enfant ou réellement dans une existence antérieure?

Voilà bien ce qui m'intéresse à travers cette approche que je vous propose. Non pas de vous donner la preuve qu'elle fonctionne, mais de vous amener à constater les changements bénéfiques qu'elle provoque dans votre vie.

Revenons à ces émotions primaires et aux sentiments qu'elles ont suscités en nous.

LE SENTIMENT DE REJET

Nombre de personnes se sentent rejetées! Pour vivre un tel sentiment, il y a une ou des émotions qui n'ont pas été libérées. Parfois ces émotions peuvent nous sembler ridicules à nos yeux d'adultes, mais lorsqu'elles furent vécues, en tant qu'enfant, c'est de la terreur qu'elles ont suscitée. Pensons au bonhomme sept heures qui nous créa tant de frayeur et dont on rit aujourd'hui! Si l'on pouvait rire aussi facilement de chacune de nos émotions passées, cela nous aiderait sûrement à nous en libérer. Mais peut-t-on rire d'avoir été battu, abusé, accusé injustement? Et si en plus on en a conservé du ressentiment ou de la haine, c'est bien loin d'être drôle.

BERNADETTE SE SENT DE TROP

Bernadette a cinquante-huit ans. D'aussi loin qu'elle se souvienne, elle a toujours vécu avec un sentiment de rejet sans vraiment savoir pourquoi. Toute sa vie elle a agi pour plaire à tout le monde, s'effaçant le plus possible avec un sentiment d'être de trop.

Lors d'une séance de détente profonde, elle se revoit à l'âge d'un an et demi près de la rivière avec son père, sa mère, ses frères et soeurs. Son père la prend dans ses bras et, se tournant vers sa mère, il dit: «Qu'est-ce qu'on en fait de celle-là? Tu penses pas qu'on en a assez? Si on la jetait à la rivière?» Et, dans un mouvement purement fictif, il fait semblant de la lancer à la rivière.

Lorsque le père de Bernadette a prononcé ces paroles, il plaisantait; il n'était nullement sérieux. Mais comme l'enfant qui croit au Père Noël, Bernadette ne pouvait faire la différence entre la plaisanterie et la réalité. Pour elle, c'était la réalité. Elle avait interprété que son père ne voulait pas d'elle, qu'elle était de trop. C'est ainsi qu'à chaque situation de sa vie, elle interprète qu'on ne veut pas d'elle alors qu'en fait c'est elle qui s'isole.

Comment Bernadette peut-elle se libérer de son sentiment de rejet? Nous verrons à la fin de ce chapitre **«Comment changer le film de sa vie?»**

SYLVIE REJETTE SA FÉMINITÉ

Sylvie a une allure garçonnière. Elle porte les cheveux très courts et souffre d'acné. On ne la voit jamais en robe qu'elle dit détester. Sylvie est du genre solitaire, on la compare souvent à une tigresse. En fait, Sylvie vit avec la certitude que personne ne l'aime, qu'on ne veut pas d'elle. Ses seules amies sont celles de sa soeur. Elle n'est pas facilement approchable, c'est ce qui explique son acné. Cependant, lorsqu'elle aime une personne, son amour est total et possessif. Dans cette relation étouffante, l'autre finit toujours par s'en aller et Sylvie, qui se sent rejetée, élève de plus en plus ses barrières entre les autres et elle. Qu'est-ce qui explique que Sylvie vive constamment du rejet de ceux qu'elle aime? Lorsque la mère de Sylvie l'a portée, elle avait déjà une fille et elle désirait ardemment offrir à son mari le fils qui porterait son nom. À sa naissance, sa mère fut des plus déçues de ne pas avoir exaucé le souhait de son mari. Sylvie comprit: «On ne voulait pas de moi, c'était d'un garçon qu'on voulait». Ce sentiment d'être rejetée en tant qu'élément féminin l'amena à rejeter son aspect féminin, espérant que si elle agissait comme un garçon, elle pourrait peut-être être aimée.

MON PROPRE FILM SOUS LE SIGNE DU REJET

Ma vie fut une longue série de rejets. Si tu te souviens, j'ai mentionné au début de ce chapitre, que je me demandais pourquoi, lorsque je désirais être aimée d'un homme, ce dernier me fuyait, me laissant avec un sentiment de rejet. La réponse était inscrite dans ma mémoire émotionnelle.

Lorsque ma mère me portait, mon père lui dit, en parlant de l'enfant qu'elle portait: «Ce veau qui va naître, je vais le tuer sur le coin de la maison». Comme sa violence s'amplifiait au cours des mois qui passaient, ma mère dut songer à le quitter quelques mois avant ma naissance, pour sa survie et celle de l'enfant qu'elle portait.

Dans ces émotions que nous vivions, ma mère et moi, je compris que mon père ne voulait pas de moi, d'où le sentiment d'être rejetée. Ainsi, dans ma vie, je tentais de conquérir l'amour des personnes qui ne désiraient nullement partager une intimité. Inconsciemment, j'étais persuadée que si j'y arrivais, c'est comme si j'avais réussi à être aimée de mon père. C'était comme tenter de me battre avec mon ombre afin de remporter la victoire. Il m'a fallu des années avant de renoncer à cette illusion. De plus, comme mon père représentait l'autorité (de par sa violence), je rejetais toutes formes d'autorité (professeurs, patrons) et même ma propre autorité. Pour rien au monde je n'aurais voulu être patron. Quelle étrange ambivalence je vivais! Je n'acceptais pas qu'on me dirige et je ne voulais pas avoir à diriger les autres. Le compromis dans lequel je me satisfaisais bien était la situation d'adjointe ou de bras droit du patron. Ainsi je pouvais lui parler presque d'égal à égal, mais je ne risquais pas de subir le rejet auquel s'expose parfois celui qui prend les décisions.

Il va sans dire que je fuyais le genre d'homme trop YANG (aspect masculin = action, domination), car je n'acceptais aucune forme de domination. Je me sentais en sécurité seulement lorsque je pouvais dominer. Alors je suis devenue très YANG moi-même, tout en me plaignant que les hommes de ma vie soient trop YIN (aspect féminin = passif, réceptif).

D'un côté j'aurais tant voulu être aimée de mon père, et de l'autre, je le haïssais. Et c'est bien ce qui se passait avec les hommes que j'essayais de conquérir: je finissais par les haïr de ne pas m'aimer.

Comment m'en suis-je sortie? En changeant le film de ma vie. Sois rassuré, je reviendrai sur chacun des cas présentés et je t'expliquerai comment changer le film de ta vie.

Le sentiment de rejet peut aussi être éprouvé sous d'autres formes, soit par un manque de communication de la part de l'un ou de nos deux parents.

Lorsque j'étais enfant, ma mère travaillait beaucoup à l'extérieur et lorsqu'elle rentrait, j'aurais souhaité lui parler, avoir avec elle les longues discussions qu'elle avait quelquefois avec ma soeur aînée. J'avais sûrement le don de le lui demander dans un moment inopportun puisque les rares fois où j'ai essayé, elle m'a répondu: «Laisse-moi tranquille, je suis fatiguée». Frustrée dans mon désir, j'ai compris qu'elle ne voulait pas de moi. Aujourd'hui je suis convaincue que si je m'y étais reprise à d'autres moments, elle se serait fait une joie d'échanger avec moi, mais dans mon sentiment de rejet, je comprenais que je n'étais pas assez intéressante pour elle et je décidai que puisqu'elle ne voulait pas de moi, moi non plus je ne voudrais pas d'elle. Et jusqu'à l'âge de trente-deux ans, j'ai pensé qu'elle ne m'avait jamais aimée.

Je me suis attirée des conjoints qui ont eu des comportements identiques à ceux de ma mère. Mon premier ami était un mordu du sport et pas question de l'interrompre lorsqu'il lisait, écoutait ou regardait des nouvelles sportives. Mon premier mari était un mordu de politique; mon second, de travail et de télévision, et le dernier de cette catégorie était un mordu de religion. J'avais le sentiment de passer après leur passion. Les seuls moments où je les avais bien à moi c'était dans le lit. C'est donc avec cette arme de séduction que je tentais de conquérir les hommes de ma vie jusqu'à ce que leur conquête ne m'intéresse plus.

Je parle de mes expériences en tant que femme, mais il y a tout autant d'hommes qui vivent un sentiment de rejet en essayant de conquérir leur belle avec des désirs de possession et de manipulation qui leur semblent bien légitimes. J'ai aussi vécu cet aspect en étant courtisée par un homme qui tentait de me conquérir aux moyens de ses fleurs, de ses multiples cadeaux et de la sexualité. Voilà que, me sentant incapable de répondre à ses attentes, je vivais dans la hantise de lui faire de la peine et c'est bien ce qui arrivait. Dans tout cet amour possessif, c'était moi qui me sentais étouffée et qui le fuyais. Lui en était quitte pour un sentiment de rejet.

Toi-même, as-tu remarqué que des comportements de tes parents ou d'autres personnes (frère, soeur, oncle, professeur, seconde mère ou second père, curé, etc.), qui te dérangeaient ou te faisaient de la peine, continuent de se reproduire dans ta vie actuelle avec d'autres personnes, soit ton patron, ton conjoint, ta belle-mère, ton beau-père, etc? Par exemple, si tu as un père alcoolique, as-tu l'impression que les seules personnes que tu peux attirer sont des alcooliques?

RENÉE A UN PÈRE ALCOOLIQUE

Sous l'effet de l'alcool, le père de Renée devient très vulgaire et tapageur. Elle épouse un homme qui est la réplique de son père. Elle vit neuf années d'enfer avec lui jusqu'à ce que, n'en pouvant plus, elle le quitte. Après sa séparation, tous les hommes qu'elle attire ont toujours des problèmes avec l'alcool ou les drogues. Elle en vient à penser qu'il vaut mieux fermer l'écran sur lequel se déroule le film de sa vie en renonçant à une vie de couple. Puis un jour, elle a une excellente occasion d'acheter un duplex. Elle y occupe le logement du rez-de-chaussée et loue le logement à l'étage. Un homme très poli et gentil se présente pour la location; il vit seul. Renée lui loue le logement. Après quelques semaines seulement, elle découvre qu'il s'agit d'un alcoolique qui, sous l'effet de l'alcool, devient très tapageur comme son mari et son père. Et le film continue. Supposons que Renée n'ait jamais acheté de duplex et qu'elle n'ait pas voulu d'autres hommes dans sa vie; est-ce que son film se serait arrêté? Renée n'avait qu'un seul fils; il y a des chances pour que ce soit son propre fils qui devienne alcoolique.

Non seulement le film de sa vie se poursuit chaque fois avec de nouvelles personnes, mais il peut se perpétuer de génération en génération. Nous vivons très souvent des situations qu'ont vécues nos parents. Et nos enfants vivent souvent ce que nous avons vécu nous-même.

LINDA ET DANIEL

Linda est âgée de trois ans lorsque sa mère se retrouve enceinte pour la deuxième fois. Sa grossesse est pénible. Elle passe les six derniers mois au lit, victime de nombreuses crises de foie très douloureuses. C'est Linda qui, bien que très jeune, s'en occupe. Vingt-cinq ans plus tard, Linda divorce et retourne vivre chez ses parents amenant avec elle son fils Daniel âgé de trois ans. La mère de Linda a toujours des problèmes avec son foie, et maintenant, c'est

Daniel qui doit comme le faisait sa mère à son âge, prendre soin de sa grand-mère quand elle fait des crises de foie.

JACINTHE EN VEUT À SA MÈRE

Jacinthe est abusée par son père à l'âge de onze ans et conserve beaucoup de ressentiment envers sa mère. Assez étrangement, elle n'en veut pas à son père, mais c'est envers sa mère que se retourne son ressentiment, car elle pense: «La maudite, elle le savait et elle ne faisait rien; elle jouait à l'autruche». Jacinthe en veut à sa mère de ne pas être intervenue, de ne pas avoir empêché les visites nocturnes de son père. Ce que Jacinthe ne sait pas, c'est que sa mère fut elle-même victime des abus de son grand-père. À travers sa fille, elle revit sa propre honte et la peur que l'on sache. Elle se tait comme elle le faisait lorsqu'elle était enfant, parce qu'elle est paralysée par la peur. Lorsque Jacinthe comprend pourquoi sa mère n'intervenait pas, peut-elle encore lui en vouloir? Je reviendrai sur la question de l'abus sexuel, à savoir comment se libérer de sa honte et de sa haine.

Il a été prouvé (pour ceux qui aiment les preuves), qu'un enfant abusé sexuellement a presque toujours un parent qui a été lui-même abusé. (Il n'y a pas que les filles qui soient souvent victimes d'abus sexuels, mais également les garçons). Cela peut surprendre certaines personnes abusées, mais très souvent, la mère ou le père vit avec ce secret qu'elle ou qu'il ne leur a jamais révélé.

Il y a également les enfants battus qui ont pour bourreau des parents ayant été battus eux-mêmes. Un message télévisé au Québec, dont peut-être plusieurs se souviendront, montre une petite fille qui bat sa poupée et qui lui dit: «Vas-tu écouter maman? Vas-tu écouter maman?» Et l'on entend: «Cette enfant est battue; aujoud'hui elle bat sa poupée et demain elle battra ses enfants.» Pourquoi donc ces situations continuent-elles de se produire jusque chez nos enfants? La raison en est très simple:

Nous projetons sur l'écran de notre vie ce que nous avons nous-mêmes rejeté.

Je lisais, dans un magazine à reportages, le cas vécu d'un transsexuel. Dixième et dernier d'une longue lignée de garçons alors qu'on attendait avec tant d'espoir une fille, ce jeune homme joue le rôle de la fille; ses frères ainés l'abusant sexuellement contre son gré. Plus tard, c'est en prison qu'il sert de fille alors que les plus durs le violent. Ainsi à jouer l'élément réceptif, finit-il par croire qu'il serait aussi bien d'être un élément féminin. On peut voir la répétition de ce qu'il a vécu dans son enfance.

Comment projetons-nous ces situations dans notre vie?

En devenant ou en agissant comme la personne que l'on n'a pas acceptée.

LE CAS DE MARTHE

Marthe a une mère obèse qui refuse d'aller au pique-nique des parents que l'école organise, ou encore à la plage avec les mères de ses amies, à cause de sa gêne face à son obésité. Marthe en ressent beaucoup de chagrin. Après sa seconde grossesse, Marthe n'arrive pas à perdre le poids gagné et cette frustration l'a conduite à en gagner davantage. Voilà qu'elle se retrouve obèse comme sa mère. Et lorsque sa petite fille pleure parce que l'une de ses petites amies s'est moquée de sa mère, Marthe en a doublement de chagrin, car elle revit sa propre tristesse d'enfant en plus de la tristesse de sa fille.

Lorsque j'avais douze ans, j'étais gardienne d'enfants pour une dame qui avait deux charmants petits garçons que j'aimais beaucoup. Quelquefois, j'étais témoin de la violence de leur mère qui les battait. Après les avoir battus, elle les prenait contre elle en les berçant et elle pleurait à chaudes larmes en leur disant: «Maman n'a pas voulu.» Je pensais en mon for intérieur: «Peut-on être plus folle? Elle les bat et elle pleure!» C'est exactement ce que faisait mon père qui avait été lui-même un enfant battu. Après avoir battu ses enfants, il se jetait à genoux, et, en pleurant, il disait: «Les enfants, priez pour votre père qui est malade».

Cette femme et mon père ne savaient pas qu'ils répétaient les mêmes comportements qu'ils n'avaient pas acceptés de la part de leurs parents. C'est souvent en chaussant les mêmes souliers qu'une autre personne que l'on peut le mieux la comprendre, lui pardonner et se libérer. Voilà la raison pour laquelle nous revivons ces situations que nous n'avons pas acceptées.

Quelquefois on peut aller dans l'autre extrême et croire que nous n'agissons pas comme cette personne que nous n'avons pas acceptée.

AMÉLIE ET LA CARRIÈRE DE SA MÈRE

Amélie a eu une mère qui est absente pendant une grande partie de son enfance. Elle grandit sous les soins des gouvernante et gardiennes. À l'adolescence, elle se dit: «Moi, quand j'aurai des enfants, je ne les ferai pas élever par les autres». Voilà qu'Amélie se marie, a des enfants et reste au foyer; mais au fond d'elle-même, elle ne rêve que de poursuivre ses études de droit qu'elle a abandonnées à la naissance de son premier enfant, arrivé plus tôt que prévu. Amélie agit en réaction à sa mère, car au fond d'elle-même, elle ne rêve qu'à cette carrière de droit qui la fascine. Elle n'a pas accepté que sa mère soit une femme de carrière, ainsi se le refuse-t-elle à elle-même. Plus les années passent, plus elle devient frustrée et dépressive.

Je te suggère de t'arrêter ici et de dresser la liste de tous les aspects que tu n'as pas acceptés chez ton père, ta mère, ou d'autres personnes, ainsi que du milieu où tu vivais.

Il se peut que ce soit la condition financière. Tu voyais tes parents discuter toujours au sujet de l'argent et voilà que tu fais la même chose avec ton conjoint.

Ou bien tes grands-parents paternels regardaient ta mère du haut de leur hauteur parce qu'elle provenait d'un milieu modeste et voilà qu'à ton tour tu te sens mise à part par ta belle-famille.

Lorsque je te suggère de retrouver des aspects de ton père ou ta mère que tu n'a pas acceptés, je ne parle pas de ton père ou ta mère d'aujourd'hui, car avec les années ils ont eu le temps de changer. Ce sont des comportements que tu n'acceptais pas d'eux lorsque tu étais enfant.

Pour t'aider dans ta recherche, voici quelques exemples:

- Ton père se coupait de sa famille en se réfugiant derrière son journal.
- Ton père ne communiquait jamais avec toi.
- Ta mère t'adressait des reproches devant les autres.

- Ta mère faisait vivre ton père parce que ce dernier n'arrivait pas à garder un emploi.
- Ton père était autoritaire et tranchant, avec lui aucun espoir d'avoir le dernier mot.
- Ta mère te critiquait constamment.
- Ta mère était étouffante dans son amour.
- Ton père ne te croyait pas lorsque tu racontais quelque chose; tu avais toujours tort à ses yeux.
- Ta mère était toujours malade ou toujours fatiguée.
- Ton père te confiait la charge de la famille parce que ta mère ne pouvait l'assumer.
- Ta mère voulait diriger tout le monde.
- Ton frère ne se mêlait jamais de ses affaires.
- Tes parents te demandaient d'être le modèle pour tes plus jeunes frères et soeurs.
- Ton oncle était arrogant et prétentieux.
- Ta grand-mère était agressive.
- Ta soeur était jalouse de toi.

Et encore...

Complète cette liste par ton propre vécu.

Un autre facteur de haute probabilité est que l'on attire dans notre vie des personnes qui sont ou qui agissent comme la personne que l'on n'a pas acceptée. Ou encore on s'attire des personnes qui vivent des situations dont on était témoin et qui nous faisaient de la peine ou que l'on trouvait injustes.

GINETTE FUIT LES MARINS

Le père de Ginette devient marin pendant sa période de transition entre l'enfance et l'adolescence. Ce dernier part pour des semaines en mer. C'est elle qui apporte l'aide à sa mère en s'occupant du reste de sa famille. Elle se jure bien que jamais elle n'épousera un marin. Elle fuit donc tout prétendant qui s'intéresse de près ou de loin à la pêche. Ginette fait alors la rencontre de Jean-

Luc, un technicien en électronique. Peu de temps avant leur mariage, Jean-Luc perd son emploi et accepte de se joindre à deux de ses amis qui ont récemment acheté un bateau. Elle revit exactement ce que sa mère a vécu, jusqu'au jour où elle le comprend et l'accepte. C'est alors que les choses changent. Jean-Luc obtient un emploi de technicien en électronique sur les bateaux de recherche. Il n'a plus à s'éloigner pour des jours ou des semaines.

BERNARD ET SON SENTIMENT D'IMPUISSANCE

Bernard a une mère continuellement malade et dépressive. Toutes les tentatives qu'il fait pour aider sa mère s'avèrent vaines. Ne pouvant plus supporter la déchéance de sa mère, il quitte la maison paternelle à l'âge de dix-sept ans, se trouve du travail, économise sou par sou pour se construire un chez soi, afin d'y installer confortablement une famille un jour. Sa mère s'est toujours plainte de sa condition. Bernard désire que sa femme et ses enfants vivent dans l'aisance. À l'âge de vingt-quatre ans, il fait la connaissance d'Annie. C'est le grand amour, le mariage et les enfants. Après le troisième enfant, Annie ne se remet pas de cet accouchement et sombre graduellement dans la dépression. Bernard tente tout pour aider Annie comme il a voulu aider sa mère. Il revit ce sentiment d'impuissance qui l'a poursuivi enfant, mais cette fois, il ne peut plus fuir cette situation. Il prend tout sur lui et en est quitte pour des lombalgies qui le harcèlent pendant des années, jusqu'à ce qu'il comprenne que sa mère, tout comme sa femme, avaient cela à vivre et qu'il n'avait pas à prendre cela sur lui. Seules ces personnes étaient en mesure de s'aider. Sa seule présence et son amour étaient ce qu'il pouvait leur apporter de mieux.

NICOLE EN VEUT À LA SOCIÉTÉ

Nicole a un père alcoolique qui bat sa mère. Elle ne peut supporter de voir sa mère souffrir et elle en veut à la société d'être indifférente face au sort de ces pauvres femmes. Elle en veut également à la société de vendre cet alcool qui rend son père violent.

À l'âge de vingt-deux ans, elle épouse Benoit, un gentil garçon, de qui elle a un fils qui devient schizophrène. De voir son fils emmuré dans sa souffrance l'atteint au plus haut point; et la voilà en révolte contre la société qu'elle juge indifférente face au problème qu'elle vit. Elle me dira: «Ma vie est un combat continuel pour faire accepter mon fils et pour qu'on l'aide à travers ses souffrances» Nicole aurait voulu changer le monde pour ne pas voir souffrir sa mère; voilà qu'elle part en guerre contre les lois en place pour ne pas voir souffrir son fils.

MARIE ET SES FRÈRES BATTUS

Marie est l'enfant chérie de son père et ses frères, eux, sont les souffre-douleur de ce dernier. Elle aime son père mais souffre de voir ses frères battus. Elle épouse donc un homme qui est gentil avec sa fille et dur avec son fils.

Maintenant, regarde au niveau de ta famille, comment se répartissaient les rôles?

- Qui avait le pouvoir?
- Qui était l'autorité?
- Qui était le mouton noir?
- Qui était l'enfant sage ou le gentil?
- Qui était le modèle?
- Qui était le martyr?
- Qui était le clown?
- Qui était l'épais?
- Qui était l'oublié?
- Qui était le souffre-douleur?
- Qui était la beauté?
- Qui était la «bolle» ou l'intelligence?
- Qui était le remplaçant de l'autorité?
- Qui était le persécuteur?
- Qui était le jaloux?
- Qui était le soumis?
- Qui était le rebelle?
- Qui était l'aide domestique?

Et toi, quel rôle jouais-tu? Comment te sentais-tu par rapport à chacun des membres de ta famille et le rôle qu'ils avaient?

Enfin, il est possible que ce soit nos enfants qui vivent ce que nous avons vécu nous-même ou ce que vivait l'un de nos proches et qui nous faisait de la peine. À moins qu'ils ne deviennent comme la personne que l'on n'a pas acceptée.

Nous l'avons vu dans les cas précédents. Très souvent, avec nos enfants, nous répétons les mêmes schémas que ceux que nous n'avons pas acceptés et parfois sans même en prendre conscience. Un autre aspect où je me sentais rejetée par ma mère était lorsque je lui apportais mon bulletin scolaire à signer. Ma mère ne prenait pas le temps de le regarder, elle le signait en me disant: «C'est bien beau.» Que j'aie eu 40% ou 90%, c'était pareil pour elle. Lorsque j'avais mis beaucoup d'efforts pour obtenir une bonne note, elle n'en faisait pas plus de cas que pour une mauvaise. J'en conclus: «À quoi bon avoir de bonnes notes, elle ne voit pas tous les efforts que j'y mets.» Et voilà une pensée qui m'a suivie pendant des années. Je disais exactement les mêmes paroles face à mes patrons; eux non plus, selon ma perception, ne voyaient pas tous les efforts que je mettais. Lorsqu'à mon tour, j'avais à signer les bulletins de ma fille, je lui disais: «Chérie, dis-moi, où dois-je signer?» Au fond, je faisais la même chose que ma mère. C'est en devenant consciente que j'ai pu, à la fois changer ce vieux modèle, et comprendre que ma mère, loin de se désintéresser de moi avait au contraire une telle confiance en mes capacités, qu'elle pensait: «Quand elle voudra de bonnes notes, je la sais largement intelligente pour les avoir; je n'ai pas à m'en faire de soucis». C'était exactement ce que je pensais pour ma propre fille. Je n'ai jamais douté un instant de ses capacités de réussite.

Le plus merveilleux c'est que lorsque l'on comprend avec son coeur ce que l'on avait mal interprété avec sa tête, le sentiment négatif disparaît automatiquement. Peut-on se sentir rejeté par une personne qui avait confiance en nous? Offre -t-on sa confiance à quelqu'un que l'on n'aime pas?

Un de mes participants à un atelier réalisa qu'il agissait avec son fils exactement comme son père avait agi avec lui. Il était le cinquième fils de la famille et le sixième enfant fut la petite fille tant attendue. Lorsque son père rentrait à la maison, il n'y en avait que pour cette petite fille. Lui se sentait rejeté par son père. Quand à son tour il se maria, il eut d'abord un petit garçon. Puis, quatre ans plus tard, quand arriva sa petite fille, il se comportait envers ses enfants de la même façon qu'avait agi son père, repoussant sans pouvoir se l'expliquer son petit garçon au profit de cette petite fille qui l'enchantait. Quand il s'admit qu'il aimait autant son petit garçon que sa petite fille, mais que cette petite le fascinait, il comprit également son père et devint à la fois plus attentif à son fils. Il n'avait plus besoin de répéter ce comportement puisqu'il avait appris ce qu'il avait besoin d'apprendre pour son évolution.

FRANÇOISE CHAGRINÉE PAR UN FILS AGRESSIF

Françoise a un père agressif, autant dans ses paroles que dans ses gestes. Elle ne peut supporter aucune forme d'agressivité, aussi, se sent-elle attirée par les hommes doux et gentils. Elle épouse Florent qui appartient à cette catégorie. Quelquefois, c'est elle qui devient agressive, surtout dans ses paroles, mais elle les regrette aussitôt. Françoise fait d'ultimes efforts pour ne pas laisser monter l'agressivité en elle. Lorsqu'elle me consulte, c'est pour un problème qu'elle vit avec son fils ainé, qui, lui, est très agressif et même violent. Il va même jusqu'à la frapper. Elle est très malheureuse. Cependant, elle n'a jamais réalisé que son fils est la réplique de son propre père. Ces deux personnes, son père et son fils, sont incapables d'exprimer leurs sentiments et c'est dans l'agressivité qu'ils expriment leurs peines et leurs frustrations. Quand elle comprend la souffrance que son père exprime dans son agressivité, et qu'elle lui pardonne, elle sait beaucoup mieux comprendre son fils et leurs relations s'améliorent de beaucoup. Se sentant davantage compris sans avoir besoin de s'exprimer, son fils manifeste de moins en moins d'agressivité.

Si nous résumons:

Pour toute situation ou personne non acceptée, il se peut:

- que nous vivions nous-même la même situation, ou que nous devenions ou agissions comme la personne que nous n'avons pas acceptée;

- que nous nous attirions des situations similaires ou des personnes qui seront ou agiront comme la personne que nous n'avons pas acceptée;

ou encore

- que nos enfants vivent ce que nous avons vécu nous-mêmes ou ce qu'ont vécu des personnes qui nous étaient chères ou encore deviennent comme la personne que nous n'avons pas acceptée.

Certaines personnes, lors de mes ateliers de libération, me disent: «Combien de fois ai-je dit des paroles blessantes à mes enfants; je les ai peut-être marqués pour une bonne période de leur vie!» Quelle est notre responsabilité envers nos enfants? Sommes-nous responsables de ce qu'ils vivent?

Un événement: trois interprétations

Prenons le cas d'une famille où il y a trois enfants et un père alcoolique. Le père rentre un certain vendredi soir, complètement ivre et se sent coupable d'avoir consommé une grande partie de la paye de la semaine. Par crainte d'être «engueulé» par sa femme, il prend les devants, et c'est lui qui «l'engueule» en lui disant: «Tu es une salope, une traînée, tu ne sais pas faire à manger et tu passes tes journées à bouffer devant la télévision.» Les trois enfants sont témoins de cette scène. L'un pense: «Je hais mon père, il est bête et méchant.» L'autre trouve son père drôle et tourne la situation en blague. Le troisième regarde son père et sa mère et pense: «Si mon père agit comme ça, c'est parce qu'il souffre». Il souhaiterait pouvoir aider son père et sa mère.

Qu'adviendra-t-il de ces trois enfants dans leur vie adulte? Il y a de fortes chances que le premier devienne alcoolique comme son père ou encore s'attire des partenaires ou des enfants alcooliques ou narcomanes. Dans sa vie, le second rira, alors que parfois, il aurait envie de pleurer. Il tournera en blague chaque situation qui pourrait l'atteindre dans ses sentiments. Le troisième, lui, jouera au sauveteur et s'attirera des victimes qui ne veulent pas s'aider. Il en sera quitte pour un sentiment d'impuissance vis-à-vis de ceux qui lui sont le plus proches. On retrouve une forte proportion d'intervenants tels que psychologue, psychiatre, infirmière, thérapeute etc appartenant à cette catégorie de personnes.

Nous avons une situation et trois réactions différentes. Il faut se rappeler que ce n'est pas par hasard que nos enfants vivent de telles situations; cela fait partie de ce qu'ils ont à vivre et à dépasser dans leur évolution.

Aussi étonnant que cela puisse paraître, j'ai eu en thérapie des enfants qui ont eu de merveilleux parents et qui veulent mourir parce qu'ils pensent: «Mes parents sont si merveilleux, ils méritent un bien meilleur enfant que moi». En voici un exemple concret.

ANDRÉ EST UN ENFANT CHOYÉ

André est le fils unique tant attendu... Il arrive après huit ans de mariage dans ce couple heureux. Madeleine et Jacques sont à son écoute, et ne le réprimandent jamais sans lui expliquer pourquoi. Ils comblent tous ses désirs. Leur désir à eux, c'est qu'André soit heureux.

À vingt-trois ans, André se marie avec Chantal qui comme sa mère, tente de le comprendre, de l'encourager, sans jamais lui faire aucun reproche, car à vingt-trois ans, André est toujours à l'université et n'arrive pas à se décider sur un choix de carrière. Les parents d'André aident le jeune ménage à vivre; Chantal fait sa part. André pense: «Mes parents méritent un meilleur fils qui aurait fait leur fierté. Moi, je ne suis qu'un bon à rien». Il pense la même chose envers Chantal et fait tout pour qu'elle le quitte. Mais Chantal supporte tout sans aucune envie de le quitter, redoublant même de compréhension. C'est ainsi qu'il en vient à penser au suicide pour ne pas être la honte de ses parents et qu'enfin Chantal se trouve quelqu'un de mieux que lui.

Nous avons ici l'attitude parentale idéale et en dépit de cela André vit des expériences douloureuses qu'il doit dépasser, en l'occurrence la dépréciation de lui-même.

Cependant, il est important de se rappeler que nous attirons les enfants dont nous avons besoin pour notre évolution. Tout comme eux s'attirent les parents et les situations en fonction de leur évolution. Nous sommes parfois l'occasion pour eux de vivre ces situations qu'ils ont à dépasser.

J'ai une petite maxime que j'aime beaucoup et qui dit:

«Fais de ton mieux et laisse le reste à Dieu».

CHAPITRE III

LA LIBÉRATION DE SA MÉMOIRE ÉMOTIONNELLE OU COMMENT CHANGER LE FILM DE SA VIE?

L'IMPORTANCE DU PARDON

Le pardon est le maître effaceur. Tant que l'on cultive en soi la haine, la rancune ou la culpabilité, on ne peut jamais être libre et heureux. La haine, la rancune et la culpabilité empoisonnent la vie de ceux et celles qui les nourrissent. Nombre de médecins pensent maintenant que lorsque l'on étouffe des chagrins reliés à des culpabilités ou à du ressentiment, cela peut produire des cellules cancéreuses dans le corps. À travers le nombre de personnes rencontrées en thérapie pour cause de cancer, je suis personnellement en mesure d'affirmer que cela est une très grande vérité. Le prix à payer est toujours onéreux dans notre santé, nos relations et notre bonheur. Aucune paix, aucun bonheur n'est possible tant que l'on ne lâche pas prise à ces bas sentiments. Et qui ne veut pas lâcher prise? Notre cher ÉGO, car il veut absolument avoir le dernier mot, celui-là. Il veut être celui qui a raison, il veut gagner quel qu'en soit le prix à payer. Toi, le veux-tu?

Je te suggère de prendre deux feuilles suffisamment grandes, format 8 1/2 X 11 pouces. Sur la première, tu inscris:

LE FILM NÉGATIF

Aujourd'hui le (inscrire la date), je réécris le film de ma vie... Écris toutes situations vécues qui t'ont fait de la peine ou t'auraient affectées par le passé, ainsi que les paroles entendues ou les comportements de ton entourage que tu n'aurais pas acceptés.

Au bas de cette(ces) feuille(s) tu peux écrire: **Je pardonne entièrement à** (nomme la ou les personnes envers qui tu aurais gardé du ressentiment ou de la haine). **Je dénoue maintenant le lien qui nous enchaînait et je le remplace par la conscience de l'amour, qui guérit tout, qui transforme tout. Que la paix soit en chacun de nous désormais!**

Comment pardonner à celui ou celle qui nous a confié à l'orphelinat?

Le cas de Francis

Un jour, je reçois Francis en consultation. Il m'a été référé par sa tante. Francis est narcomane mais il me consulte surtout pour un problème de kystes qui prolifèrent partout sur son corps. On l'a déjà opéré à plusieurs reprises pour l'ablation de kystes, mais le problème n'est pas pour autant réglé. Voici son histoire. Francis est adopté à l'âge de cinq ans, après avoir vécu dans plusieurs foyers nourriciers. Rempli de haine, surtout envers sa mère naturelle de qui il dit: «Elle m'a «crissé» à la poubelle», Francis se sent continuellement rejeté et c'est ce qu'il tente de fuir dans la drogue.

Comment Francis peut-il pardonner à sa mère? C'est en comprenant qu'il est très difficile à une mère de quitter l'enfant qu'elle a porté pendant neuf mois et que, pour la plupart, ces femmes y pensent jusqu'au jour de leur mort. Si sa mère a dû le confier à un orphelinat, c'est qu'elle n'avait pas le choix dû aux conditions dans lesquelles elle vivait. Elle espérait lui offrir l'opportunité d'avoir un bon foyer où il aurait davantage de chances d'être heureux. J'ai alors demandé à Francis: «Si les conditions avaient été idéales pour ta mère, crois-tu qu'elle t'aurait confié à l'orphelinat?

Pendant des années, j'ai haï mon père et l'un de mes frères qui l'avait remplacé. Lorsque j'ai pris conscience que mon père et mon frère avaient été des petits garçons qui avaient été battus, qui avaient souffert et qui ne savaient pas comment exprimer leur souffrance, j'ai compris, non pas avec ma tête, mais avec mon coeur. Aujourd'hui je ne ressens que de l'amour envers eux.

Lorsque l'on comprend et accepte ces personnes avec notre esprit rationnel (la tête), un malaise persiste quand nous sommes en leur présence ou encore lorsque nous en parlons. Ce sont toujours les souvenirs négatifs qui remontent en pensant à elles. Par contre, lorsque cette compréhension vient du coeur, on ressent une chaleur, un bien-être et l'on sent son coeur s'ouvrir à ces personnes. Et voilà que ce sont les souvenirs positifs qui refont surface. C'est une façon de vérifier si nous leur avons pardonné. Nous n'avons qu'à observer comment on se sent en leur présence ou quand on en parle. Quels sont les souvenirs qui nous reviennent en mémoire quand nous pensons à elles?

Pour pardonner, il s'agit de découvrir l'amour qui se cache ou se cachait au-delà des mots, des gestes ou des comportements. Et si l'on ne peut voir l'amour, il s'agit alors de comprendre la souffrance ou l'ignorance de la personne à cause de qui nous avons souffert.

COMMENT PARDONNER LA FROIDEUR DE CELUI OU CELLE QUE L'ON AIMAIT?

J'ai longtemps pensé que ma mère ne m'aimait pas. Je me disais: «Elle me donne les choses que je lui demande afin d'avoir la paix, mais jamais elle ne me témoigne la moindre affection, sauf lorsque nous allons chez ses amis ou encore lorsqu'elle reçoit des amis à la maison». À ces occasions elle m'appelait «ma minoune». Cette appellation me mettait hors de moi. Je pensais: «Comme elle est hypocrite. Lorsque nous sommes seules, elle ne me dit jamais rien de gentil, mais lorsqu'il y a du monde, voilà que je suis sa minoune». Ce que je n'avais pas compris, c'est que ma mère assumait seule la responsabilité d'élever plusieurs enfants que je ne qualifierais pas de faciles. Sa vie se résumait à: travail et soucis. Comment pouvait-elle me donner la joie qu'elle n'avait pas? C'est seulement lorsqu'elle était entourée qu'elle ressentait de la joie et qu'elle pouvait nous en donner.

Je voulais que ma mère m'aime à ma manière et c'est ce que j'ai tant cherché auprès de mes amis(es) et partenaires. Je leur disais: «Tu ne m'aimes pas, parce que si tu m'aimais, tu ferais ceci ou tu ne ferais pas cela; tu me dirais ceci, etc.»

Vouloir être aimé à sa manière est la meilleure façon de ne pas voir l'amour des autres.

Pourtant, lorsque ma mère allait travailler pour nous assurer un toit confortable et une bonne nourriture, ça voulait dire: «Je t'aime». Lorsqu'après une dure journée de travail, elle nous préparait un bon repas, ça voulait dire: «Je t'aime» Lorsqu'elle me cousait une jolie petite robe jusqu'à minuit parce qu'elle n'arrêtait pas, ça voulait dire: «Je t'aime». Lorsqu'elle m'offrait la guitare ou la bicyclette que je désirais tant, ça voulait dire: «Je t'aime». Il y en avait tellement des «Je t'aime», mais je ne les avais pas vus. Lorsque j'ai réalisé tout ces «Je t'aime», pouvais-je penser que ma mère ne m'avait pas aimée? Pouvais-je continuer de nourrir la moindre rancune?

Beaucoup de personnes ayant un père ou une mère qui ne leur a jamais témoigné d'affection ont pensé la même chose que moi. Il faut se rappeler qu'à une certaine époque, les gens, à cause des tabous, de la pudeur ou de la crainte de l'inceste, n'osaient exprimer leurs sentiments. Pour ces parents, bien faire vivre leur famille, égalait: «Je vous aime». Ne croyez-vous pas qu'ils auraient aimé être cajolés eux aussi? Cela nous amène à parler de l'inceste.

COMMENT PARDONNER À CELUI QUI NOUS A ABUSÉ?

Regardons la vie affective d'un jeune garçon. Etait-il acceptable, à une certaine époque, qu'un garçon prenne son frère dans ses bras? Et son père? Non, car on craignait de tomber dans l'homosexualité. Observons deux jeunes filles qui marchent dans la rue bras dessus, bras dessous. Qu'en pensons-nous? Qu'elles sont bonnes copines. Et s'il s'agit de deux garçons maintenant? La plupart pensent à l'homosexualité.

D'autre part, le garçon pouvait-il prendre ses soeurs ou sa mère dans ses bras? Non, car on craignait les abus sexuels. Par contre, la fille pouvait prendre sa mère dans ses bras; cela était accepté, mais pas son père, toujours à cause de cette peur. Où nos garçons et nos hommes pouvaient-ils trouver un peu d'affection? Seulement dans la sexualité. **C'est ce qui explique que des garçons manquant d'affection se retournaient vers leurs soeurs.** Ce qu'ils recherchaient, c'était davantage de satisfaire leur besoin affectif à travers le toucher sexuel. Il en allait de même pour ces hommes seuls ou qui vivaient la froideur d'une femme craignant les rapports sexuels ou les grossesses.

Dans presque 95% des cas d'abus sexuels rencontrés, il n'y a pratiquement jamais eu de violence de la part de la personne qui va chercher son affection de cette façon. Ce qui marque le plus les victimes, c'est la honte qu'elles portent à cause des tabous religieux. Ma mère avait l'habitude de dire: «Les fesses c'est de la peau comme ailleurs» et elle avait raison. Si on nous avait enseigné que c'est péché de se laisser toucher les cheveux par un garçon, imagine la honte de se faire toucher la chevelure par un garçon! Tu ris peut-être? Quand tu pourras rire aussi d'avoir été touché, tu sauras que tu commences à dédramatiser un aspect de ta vie.

Une participante souffrant d'une grave maladie m'avoua avoir été abusée à l'âge de onze ans par un voisin. Agée de quarante-neuf ans, elle vouait encore à cette personne une haine tenace. «Cet homme a ruiné ma vie», disait-elle. Fait assez cocasse, cette participante s'occupe d'enfants ayant été abusés sexuellement. Comment pouvait-elle les aider avec une telle haine au coeur? Elle comprit que ce voisin qui vivait seul, manquait d'affection et ne connaissait pas d'autres moyens d'en avoir un peu. Il n'avait jamais voulu lui faire de mal parce qu'au fond de lui, il l'aimait. Aurait-t-il été attiré envers quelqu'un qu'il n'aimait pas?

COMMENT PARDONNER À CELUI OU CELLE QUI NOUS A BATTU OU INSULTÉ?

Un jour, une participante me lance: «Comment crois-tu que je pourrais pardonner à ma mère qui m'a battue et insultée pendant des années?»

J'ai eu un oncle qui n'avait qu'un seul fils qu'il aimait et qu'il battait à grands coups de ceinture. J'en avais très peur; je rampais devant lui. Un jour, j'écoutais «Furie» mon émission favorite à la télévision. C'est l'histoire d'un étalon sauvage qui est devenu le meilleur ami d'un jeune garçon. Mon oncle me dit: «Tu vois ce cheval que tu trouves si gentil à la télévision? Si tu voyais comment ce cheval a été dompté pour faire ce qu'il fait devant les caméras!». À l'époque je ne le compris pas et je doutais même de ses paroles.

De mon côté, voilà ce que j'ai fait avec ma propre fille. J'avais une mère des plus permissives, et je mettais sur le compte d'un manque de discipline de sa part mes problèmes avec l'autorité et le rejet. Je pensais: «Moi ma fille, je vais bien l'élever; ainsi, tout le monde la trouvera gentille et c'est elle qui sera gagnante». Ma famille me trouvait très sévère avec ma fille (lorsqu'elle était très jeune de zéro à quatre ans). Mais je passais outre à leurs dires, étant convaincue que j'agissais pour son bien. C'est exactement ce que faisait mon oncle, car ce qu'il désirait le plus c'était que son fils soit un bon garçon et qu'il réussisse bien dans la vie. Il était convaincu que c'était la meilleure façon de l'élever. À cette époque, on parlait davantage de «dompter» les enfants. On commence seulement à comprendre qu'il faut les élever physiquement, moralement et spirituellement. Il n'en demeure pas moins que nombre d'enfants battus l'ont été parce que leurs parents étaient persuadés que c'était la bonne façon de leur donner ce qu'ils n'avaient pas eu: la discipline, la force ou bien d'autres vertus. Beaucoup de garçons YIN (aspect féminin = passif) ont été battus par leur père parce que ce dernier craignait qu'ils ne deviennent homosexuels. Encore ici, c'était, selon la conception du père, pour aider son fils à ne pas être en marge de la société et lui épargner de la souffrance.

Il y a cependant des cas sans motif précis, où l'enfant a servi de souffre-douleur pour l'un de ses parents souffrant. Dans ces moments-là, je renverse la situation en demandant à la personne: «Si tu allais rendre visite à une amie à l'hôpital, et que dans sa souffrance, elle te rentrait les ongles dans la peau et te faisait mal, lui en voudrais-tu?» La plupart me répondent: «Non, parce qu'elle souffre». Comment ne pas comprendre que c'était la même chose pour cette personne qui t'a fait du mal!

COMMENT PARDONNER LES PAROLES BLESSANTES?

JEAN-LOUIS EST TÊTU

Jean-Louis est un enfant qui tient à ses idées. Son père le traite de tête de cochon, de tête de pioche. Pour Jean-Louis, ces appellations égalent: «Tu n'es pas correct et je ne t'aime pas». Plus les années passent, plus Jean-Louis devient soumis pour ne pas déplaire aux autres, afin d'être accepté. Et comme l'on reproche souvent à ses enfants d'avoir trop de caractère lorsqu'ils sont jeunes, on leur reproche, quand ils sont grands, de ne pas en avoir assez. C'est ainsi qu'étant devenu effacé, on ignore Jean-Louis qui se sent à nouveau rejeté.

Comment Jean-Louis a-t-il pu se libérer de ce sentiment de rejet, de ne pas être correct? En comprenant que lorsque son père lui disait qu'il avait une tête de cochon, il voulait en fait lui dire qu'il pensait qu'il avait du caractère et qu'il ne s'en laisserait pas imposer facilement.

LE COMPLEXE DE DENISE

À l'âge de sept ans, Denise accompagne sa mère dans son magasinage et sa mère dit à qui veut l'entendre: «Ma fille n'est pas belle mais elle est propre». Denise est convaincue que sa mère ne la trouve pas belle. Elle interprète ces paroles sous forme de rejet. Cela la blesse; mais elle n'en souffle mot à personne, même si elle en veut à sa mère.

Ce qu'elle n'a pas compris c'est qu'au fond sa mère la trouve belle et qu'elle ne voulait pas que sa fille devienne orgueilleuse. De plus, elle-même ne désirait pas être comme certaines femmes qui surévaluent leurs enfants.

MON PROPRE CAS

À l'âge de quinze ans, ma mère me disait parfois: «J'ai assez hâte que tu partes.» Ces paroles, je les comprenais de cette façon: j'étais de trop et je la dérangeais. Cela amplifiait mon sentiment de rejet et de haine envers ma mère. J'ai pu m'en libérer lorsque j'ai compris que ce qu'elle voulait dire était: «Si tu savais comme il y a des jours où je suis fatiguée de la responsabilité de mère, j'ai hâte d'en être libérée.»

L'AMOUR, LA COMPASSION ET LE PARDON LIBÈRENT. LA HAINE, LA RANCUNE ET LA CULPABILITÉ ENCHAÎNENT.

C'est ce que le Christ nous a enseigné à sa façon. Il a été rejeté, insulté, ridiculisé, accusé injustement, flagellé, couronné d'épines, renié de ceux qui l'entouraient, qui l'avaient suivi. Finalement, il a été abandonné à la mort sur la croix.

Pourquoi a-t-il vécu toutes ces situations que nous vivons parfois dans nos vies? Afin de nous montrer la voie de la libération qui est le pardon. «Père pardonne-leur, car ils ne savent ce qu'ils font».

Avons-nous compris ce grand message d'amour et de libération?

Il n'y a personne qui soit méchant, il n'y a que des souffrants. Je le sais pour avoir donné des ateliers à des détenus qui étaient condamnés à vie pour voies de faits et meurtres. Plus cette souffrance est grande, plus elle donne naissance à des agissements de violence et même de cruauté.

Regarde-toi dans ta vie. Lorsque tout va bien, que tu es heureux, comme il t'est facile d'être aimable, gentil, d'avoir envie d'aider les autres ou de jouer avec tes enfants. Mais, lorsque tout va mal, que tu es inquiet, déçu, frustré, regarde combien il t'est difficile de demeurer aimable et comme il t'est facile d'avoir des gestes ou des paroles d'impatience ou de colère.

Souhaiterais-tu que pour ces moments où tu n'étais pas en harmonie, que l'un de tes enfants ou de tes proches te garde de la haine ou de la rancune pendant toute une vie? Si nous conservons de la haine ou de la rancune envers une personne, telle l'un de nos parents, nous semons la graine qui fera qu'un jour ce sera peut-être notre propre enfant qui nous détestera.

Très souvent, la personne qui s'est montrée très sévère ou dure envers nous, vit beaucoup de culpabilité et tente par tous les moyens de réparer par des gentillesses. C'est sa façon à elle de nous demander pardon.

Pardonner, c'est être capable de donner par amour. C'est donner l'amour sans condition. C'est être capable de comprendre que tous les êtres vivent des émotions, font des erreurs de jugement et que nous ne sommes pas différents. Ces erreurs sont là pour notre évolution. Il en va de même pour les autres; eux aussi ont à apprendre ce qu'est vraiment l'amour par leurs erreurs.

Sans cette étape, tu ne peux espérer la libération de ta mémoire émotionnelle ou de ces blocages que tu portes en toi. Maintenant passe à la prochaine étape.

Prends ta seconde feuille et inscrit:

LE FILM POSITIF

Au début cette fois tu écris:

Aujoud'hui le (inscris la date), je débute une nouvelle vie. Je me pardonne entièrement de ne pas avoir compris que _____ (ici, en te servant de ce que tu as écrit dans ton film négatif, tu réécris chaque situation avec une nouvelle façon de voir les choses).

Si tu as bien compris depuis le début du chapitre, pour changer le film de sa vie, il s'agit de changer la compréhension d'un événement passé par une nouvelle interprétation qui nous libère. C'est ce que nous faisons avec le film positif.

Ainsi les:

• «Toi tu n'es pas comme les autres», se comprendra par:

«Tu ne réponds pas à mes attentes, mais au fond nous sommes tous différents.»

• «Tu es paresseux, fainéant», par:

«Je ne me permets jamais d'arrêter car j'ai peur d'avoir l'air paresseux aussi lorsque je te vois te le permettre, je te lance ma propre peur.»

• «Tu es un incapable, un bon à rien» par:

«Si tu savais comment je souhaite que tu réussisses.»

- «Tu n'as pas de tête sur les épaules», par:

  Je souhaiterais que tu ne fasses jamais d'erreurs afin de vivre une meilleure vie que la mienne.»

- «Toi, je t'haïs», par:

  Il y a des jours où je m'aime si peu que je ne peux supporter personne y compris moi-même.»

- «Tu vas me faire mourir», par:

  «Si tu savais comment j'ai le don de m'en faire pour tout ce qui t'arrive.»

- «T'aurais pu faire mieux», par:

  Je te vois si intelligent que je ne m'attends qu'à des résultats parfaits de ta part.»

- «Tu es moche, tu es laide, tu fais dur», par:

  «Comme je souhaiterais que tu surveilles ton apparence afin que tu sois encore plus jolie.»

- «Tu es détestable, personne ne t'aimera jamais», par:

  «Si tu savais comme je souhaiterais que tu changes afin que tout le monde t'aime.»

- «Tu es juste bonne pour faire de la peine aux autres», par:

  «J'ai toujours peur de faire de la peine aux autres, toi tu ne sembles pas vivre cette peur dont je souhaiterais me libérer.»

- «Moi je me suis sacrifiée toute ma vie pour vous», par:

  «Je croyais que pour être une bonne mère, il fallait se priver de ses désirs personnels au profit de ses enfants.»

REPRENONS MAINTENANT LES CAS DU DÉBUT.

LE CAS DE FRANCIS

Dans son film négatif était écrit: *«Elle m'a «crissé» à la poubelle.»* Dans son film positif, Francis a écrit: *«Ma mère m'a confié à l'orphelinat parce qu'elle n'avait pas d'autre choix et que dans son amour elle préférait que j'aie un bon foyer qui me donnerait davantage de chances d'être heureux, d'étudier et de réussir dans la vie. Je pardonne entièrement à ma mère et je me pardonne de lui en avoir voulu à cause de mon incompréhension de la situation. Où qu'elle soit je lui envoie mon amour et mon pardon.»*

LE CAS DE BERNADETTE

Dans son film négatif, était inscrit: *«Mon père a dit à ma mère que j'étais de trop et qu'il souhaitait me jeter à la rivière».*

Dans son film positif elle écrira: *«Mon père m'aimait beaucoup, pour lui, chacun de ses enfants était précieux. Mon père était du genre taquin. Il nous disait parfois des choses pour nous faire marcher sans aucune mauvaise intention».*

LE CAS DE SYLVIE

Dans son film négatif, elle dit: *«Mes parents ne voulaient pas de moi, ils désiraient un garçon. Moi j'étais de trop».*

Dans son film positif, elle écrira: *«Mes parents auraient préféré un garçon car ils avaient déjà une fille et souhaitaient vivre l'expérience d'avoir des enfants de sexes différents. Cependant, s'il leur a été donné d'avoir une autre fille, c'est qu'ils avaient besoin de cette petite fille. Leur déception venaient de leur attente, non pas de moi. Moi, ils m'ont toujours aimée autant que l'on peut aimer son enfant».*

MON PROPRE FILM REMIS AU POSITIF

Dans mon film négatif: *«Mon père était méchant. Il battait ma mère et me battait à la fois lorsque ma mère me portait. Il ne voulait pas de moi. Il avait dit à ma mère qu'il me tuerait sur le coin de la maison à ma naissance.»*

Dans le film positif, j'écrivais: *«Mon père était un grand souffrant. Il aimait ma mère d'un amour possessif. Il ne pouvait vivre avec l'idée qu'elle puisse porter un enfant d'un autre que lui (car il avait faussement pensé que cet enfant n'était pas de lui). Ce n'était pas de moi qu'il ne voulait pas (il ne me connaissait pas), mais de la situation.»*

Beaucoup de personnes, qui se sont senties rejetées à la naissance, ont compris qu'on ne voulait pas d'elles. Alors qu'en fait, c'était de la situation dont on ne voulait pas et non de l'enfant lui-même.

Lorsque moi-même, j'ai songé à l'avortement, ce n'était pas de ma fille que je ne voulais pas. Je désirais tellement un enfant. C'était le moment où elle arrivait que je refusais, car ce moment menaçait les plans que je m'étais tracés.

FACE À L'AUTORITÉ QUE J'AVAIS REJETÉ

J'écrivais dans mon film positif: «*Mon père avait été battu et dominé par sa mère. Inconsciemment, il répétait la même situation et en souffrait beaucoup. Il aurait tellement voulu exprimer la tendresse et la douceur qu'il y avait en lui. Mais, sa peur de perdre le contrôle le ramenait toujours à une position d'offensive. Cette forme d'autorité vient de la souffrance. J'accepte que la véritable autorité consiste à montrer la voie et à aider les autres dans leur progression vers le bien-être, le bonheur et la réalisation. Je reconnais cette autorité et j'accepte de m'y conformer et de la laisser s'exprimer par moi pour le plus grand bénéfice de tous.*»

FACE AU MANQUE DE COMMUNICATION DE MA MÈRE

J'ai écrit dans mon film positif: «*Ma mère travaillait beaucoup afin de nous permettre de vivre confortablement, d'être bien nourris, bien vêtus, afin de nous éviter le sentiment d'être moins bien nantis que nos camarades. Aussi. avait-elle parfois besoin d'être seule. C'est ce besoin qu'elle m'exprimait lorsqu'elle me disait: «laisse-moi tranquille, je suis fatiguée». Elle m'aimait autant que ma soeur, mais trouvait que j'étais trop jeune pour partager avec moi ses confidences d'adulte.*»

RENÉE ET SON PÈRE ALCOOLIQUE

Dans son film positif elle a écrit: «*Mon père ne savait pas exprimer ses sentiments et refoulait ses émotions. Lorsqu'il n'en pouvait plus, c'est par l'alcool qu'il laissait s'échapper le trop-plein qu'il y avait en lui. Aussi, je cesse de le juger, je le comprends et lui pardonne entièrement ainsi qu'à mon ex-mari qui vivait la même situation, de même qu'à ce voisin. J'accepte qu'ils m'ont permis d'amplifier ma compassion et de dépasser mes jugements.*

Aujoud'hui, je veux faire l'effort de comprendre avant de condamner qui que ce soit.»

JACINTHE QUI A ÉTÉ ABUSÉE

Au positif, ce sera: *«Mon père m'aimait beaucoup, il avait besoin d'affection et d'attention qui se manifestaient par un désir de toucher et d'être touché. Je lui pardonne de ne pas avoir compris le mal qu'il me faisait, la honte que je portais. Je pardonne également à ma mère de ne pas être intervenue. Je comprends que c'est la peur qui la paralysait et non l'indifférence. Je me pardonne à moi-même de leur en avoir voulu et de m'être méprisée par cette fausse honte que j'ai portée.»*

LE CAS DE MARTHE FACE À UNE MÈRE OBÈSE

Au positif, ce sera: *«Ma mère avait un excédent de poids qui provenait d'un problème intérieur. Elle devait apprendre à s'accepter telle qu'elle était sans se rejeter. J'avais la même chose à apprendre en plus d'accepter les autres tels qu'ils sont. Je m'accepte donc telle que je suis. Je ferai avec ce poids ce que ma mère n'osait faire.»*

AMÉLIE ET LA CARRIÈRE DE SA MÈRE

Au positif, ce sera: *«Ma mère était une femme dynamique qui se sentait capable de mener une carrière de front et d'élever des enfants. Par son absence, elle me permit de développer davantage mon autonomie, et d'apprendre la loi du détachement, qualité que j'étais venue acquérir en venant dans ce monde par cette mère. Je me donne également le droit de me réaliser et j'accepte que mes enfants aient leurs propres expériences à vivre et à dépasser.»*

COMMENT FONCTIONNE LE FILM POSITIF?

Rappelons-nous que notre cerveau fonctionne comme un ordinateur (on peut relire le chapitre intitulé «**Le Cerveau humain**» dans le livre **Participer à l'Univers, sain de corps et d'esprit**). Donc, si j'entre une donnée qu'aucune autre information ne contredit, l'ordinateur l'accepte telle que présentée. Mais, si plus tard, je veux entrer une donnée contradictoire à la première, mon ordinateur la rejettera d'emblée.

Nombre de personnes ont lu les livres du Docteur Murphy ou d'autres auteurs qui traitent de la puissance du subconscient. Il est exact que le subconscient est une des plus grandes puissances que possède l'être humain. Supposons qu'une personne suive les directives du Docteur Murphy en vue de se libérer d'une situation financière difficile. Elle prend un grand carton blanc sur lequel elle colle des images correspondant à la richesse, soit une belle maison, une belle voiture, des billets de 100.00$ etc. Elle y inscrit: «L'abondance est de plus en plus présente dans ma vie». Elle prend soin de l'afficher sur un mur qu'elle peut visualiser le plus souvent possible et de se répéter de façon continue l'affirmation inscrite. Plus elle répète l'affirmation plus elle se retrouve endettée et dans une situation financière difficile. Pourquoi? Où est la faille? Son subconscient est-il défectueux? Non. C'est qu'il y a une donnée contradictoire dans son cerveau (non pas dans son subconscient car le subconscient est l'exécuteur), mais dans son cerveau limbique (archives de la mémoire émotionnelle).

LISETTE, SYLVIE ET L'ARGENT

À l'âge de dix ans, Lisette joue chez une petite copine qui habite dans une jolie maison alors qu'elle vit dans un modeste appartement. Sylvie, sa copine, lance son soulier dans le parterre de sa maison en demandant à Lisette: «Va me le chercher.» Lisette se sent alors abaissée par Sylvie et lui répond: «Ton soulier, tu peux te le mettre tu sais où!» et Sylvie lui répond avec une certaine noblesse: «C'est bon, va-t-en chez toi».

Que se passe-t-il dans la tête de Lisette lorsqu'elle se sent à la fois abaisssée et rejetée suivant sa compréhension influencée par son milieu moins fortuné? Elle pense: «Moi je ne veux jamais être riche et prétentieuse comme elle.» Cette donnée contradictoire entrée émotionnellement alors qu'elle avait dix ans, lui rappelle: «Moi je ne veux jamais être riche afin de ne jamais agir comme cette personne qui avait de l'argent.» Pour Lisette être riche égale être prétentieuse et écraser les autres, ce qu'elle ne veut pas. Donc, inconsciemment, elle rejette toute forme de richesse. Voilà pourquoi à chaque fois qu'elle demande à son subconscient la richesse, la première information prime et c'est ainsi que la nouvelle demande est rejetée. Son subconscient fait donc en sorte qu'elle ait toujours le nécessaire (cela n'est pas menaçant pour les autres) mais jamais la richesse.

Si nous regardons dans notre enfance tous les mythes qu'on nous a inculqués face à l'argent et à la richesse, peut-on être étonné que tant de gens soient endettés?

- «On est pas riche mais on est heureux!»
- «L'argent ne fait pas le bonheur!»
- «Pourvu que j'en aie assez pour payer ce que j'ai à payer!»
- «Il est plus facile à un chameau de passer par le chas d'une aiguille qu'à un riche d'entrer dans le royaume des cieux!»

Cela en surprendra peut-être, mais il y a dans ce monde autant d'abondance que d'ignorance. Tous les êtres de la terre pourraient être riches et en santé si se levait le rideau de la domination par l'ignorance.

Comment Lisette peut-elle, au moyen de la méthode du film négatif et du film positif, changer les conditions financières de sa vie?

La première étape. Retrouver la donnée négative enregistrée émotionnellement en rapport avec le fait d'avoir de l'argent. Lorsqu'elle identifie cette émotion, elle l'écrit dans son film négatif. *«Moi je ne veux jamais être riche et prétentieuse comme Sylvie qui m'a abaissée et rejetée.»*

La seconde étape. Entrer une nouvelle donnée en modifiant la première. **Tout ce que l'on écrit, notre subconscient accepte que c'est fait à 90%.**

Ainsi elle écrit dans son film positif: *«Un jour, lorsque j'avais dix ans, je jouais avec Sylvie et elle a lancé son soulier dans le parterre afin que j'aille le chercher. Sylvie aimait beaucoup les contes de fées et elle avait envie de jouer à la princesse qui se fait servir. Pour elle ce n'était qu'un jeu. Elle m'aimait et aimait beaucoup jouer avec moi. Elle fut déçue que je ne veuille pas jouer à son jeu; c'est dans sa déception qu'elle me demanda de m'en aller.»*

En entrant cette nouvelle donnée, l'information *«elle a voulu m'abaisser»*, disparait. Ce n'était qu'un jeu d'enfant qui n'avait rien à voir avec la situation financière des parents. Et c'est bien le sentiment d'infériorité de Lisette qui l'a fait interpréter la situation de cette façon. En l'admettant, elle comprendra que c'est son sentiment d'infériorité qu'elle avait à dépasser dans son évolution. Il est très important de ressentir ce que l'on exprime par écrit, car c'est au niveau des sentiments que réside la blessure et non pas au niveau de la tête.

À la fin de son film positif, elle écrit: *«J'accepte désormais l'abondance dans ma vie comme moyen d'évolution»*. Maintenant que sa mémoire émotionnelle est libérée, elle peut utiliser toute la puissance de son subconscient dans cet aspect de sa vie.

Parfois la difficulté est de retrouver ces mémoires bien enfouies. Quelquefois, elles remontent à bien avant la naissance. C'est pourquoi il est conseillé d'être accompagné d'un thérapeute qualifié pour nous aider dans cette recherche.

Je suggère l'approche en douceur avec détente profonde, accompagnée d'un intervenant capable de t'aider à voir l'aspect positif de tes expériences douloureuses. C'est la méthode que j'utilise depuis des années et que j'enseigne aux intervenants, thérapeutes, psychologues, sexologues, etc. Elle donne des résultats rapides et impressionnants.

Donc, une fois qu'on a transformé le film négatif de sa vie en positif, on écrit à la fin de ce dernier ce que l'on désire désormais dans sa vie et l'on prend soin d'y mettre une date *«soit avant le ....».* Puis **on brûle le film négatif** en pensant que tous ces blocages, haine, rancune, culpabilité, brûlent aussi, faisant place à notre nouvelle vie.

Comment savoir si cet aspect du passé est bien terminé?

On n'a qu'à observer les changements qui se produisent dans notre vie. Si les modifications n'ont été faites qu'au niveau de sa tête, le prochain pas sera la modification au niveau de son coeur.

Lorsqu'on a appris un sujet à l'école, on doit passer un examen afin de vérifier si l'on a bien intégré la matière. La vie est aussi une grande école; il se peut que tu te fasses arriver un examen afin d'être en mesure de vérifier si tu as bien intégré ton expérience. Si tu échoues l'examen, ne te décourage pas; prends-en conscience afin de le réussir la prochaine fois.

Il se peut aussi que tu aies à faire plusieurs films au début. Ca peut te sembler douloureux et difficile; mais par la suite, les prises de conscience de ta vie deviendront comme un jeu et la montée vers le sommet de ton évolution se fera davantage dans la joie que la peine. C'est un chemin très abrupt au départ, mais plus tu montes, plus tu développes des techniques qui te facilitent la tâche et plus on monte, plus c'est merveilleux.

S'il est essentiel de pardonner aux autres pour atteindre la libération, il est tout aussi important de se pardonner à soi-même. C'est pourquoi nous débutons le film positif par: «Je me pardonne entièrement de ne pas avoir compris que...» Se libérer de la rancune pour aller vers la culpabilité ne nous avancerait pas beaucoup. Le prochain chapitre t'amènera sur le chemin de la libération de ces culpabilités qui t'empêchent de te réaliser.

CHAPITRE IV

COMMENT SE LIBÉRER DES SENTIMENTS DE CULPABILITÉ

Si nous n'avons pas mieux compris ces expériences auparavant, c'est qu'elles faisaient partie de notre évolution. Nous devions les vivre afin de les intégrer. On ne s'en libère que lorsque l'on est prêt à les dépasser. Souviens-toi, il n'y a pas de hasard! Ce n'est pas par hasard que tu as ce volume entre les mains. Si la haine et la rancune peuvent détruire une personne, la culpabilité peut en faire tout autant.

À la lumière des nombreux ateliers que j'ai donné depuis sept ans, je peux affirmer que j'ai rencontré davantage de personnes affectées par des sentiments de culpabilité que par des sentiments de haine et de rancune. Quelles sont les situations les plus fréquentes à l'origine de ces sentiments de culpabilité?

L'atmosphère familiale, sociale et religieuse dans laquelle la grande majorité d'entre nous a évolué était des plus culpabilisantes. Cela débutait très tôt à la maison avec des phrases telles que:

- «Le petit Jésus va te punir.»
- «Tu fais de la peine à maman.»
- «Va demander pardon à ta soeur, ton père ou autre.»
- «Tu laisses des choses dans ton assiette ou tu gaspilles alors qu'il y a des pays où les petits enfants meurent de faim.»

Puis à la messe, le prêtre, du haut de sa chaire lors du sermon, nous disait avec verve: «Jésus a souffert et est mort à cause de vos péchés.» À ce moment-là, je me sentais tellement méchante à l'idée de penser qu'à cause de mes péchés un être si bon avait souffert, avait été crucifié et était mort pour racheter tous les péchés du monde. Le crucifix omniprésent nous le rappelait constamment. On nous disait également que nous n'avions qu'une seule vie et qu'à la fin des temps, nous serions jugés: «À la fin des temps, il reviendra pour juger les vivants et les morts.»

Ces enseignements renferment de très grandes vérités qui ont parfois manqué d'explications pour nous permettre d'en comprendre toute la profondeur. On croyait qu'il fallait se mortifier, s'accuser, se dévaloriser, souffrir comme Jésus pour atteindre le ciel tant idéalisé. Ce qu'on ne nous disait pas, c'est que le ciel et l'enfer ne sont pas des lieux, mais des états d'être. Si l'on a passé toute sa vie dans le manque et la souffrance, il peut être illusoire de croire qu'un paradis nous attend à la fin de notre vie. Personnellement, je crois que le ciel peut être tout autant sur la terre. Lorsque nous sommes très heureux, ne disons-nous pas que nous sommes au septième ciel et quand tout va à l'encontre de nos désirs, on dit c'est l'enfer! Vivre en harmonie, c'est être au ciel sur la terre, tandis que vivre dans la souffrance, la privation, la mortification, la dévalorisation et l'auto-punition, fruits de la culpabilité, **c'est vivre en enfer sur la terre.**

Essaie de te rappeler toute situation où tu t'es senti méchant ou responsable de ce qui est arrivé de malheureux ou de souffrant à une personne qui était près de toi. Prends quelques minutes de réflexion et écris ces situations. À la fin de ce chapitre, tu pourras écrire un film positif pour chacune de ces situations.

J'utilisais souvent l'expression: «méchante», «c'est une méchante bonne affaire, une méchante bonne idée, une méchante occasion à ne pas râter». Un jour, une personne me dit: «Tu dois donc te trouver méchante pour utiliser aussi souvent cette expression.» Je ne pensais pas me trouver méchante, mais cela m'a portée à réfléchir. M'étais-je déjà sentie méchante? À cette question, il m'est apparu une image du temps de mes onze ans. Ma grand-mère souffrait de la maladie de Parkinson. Comme elle tremblait beaucoup, je l'aidais dans ses tâches quotidiennes, à se laver, s'habiller, boire et manger. Le souvenir qui m'est revenu est celui d'un moment où elle s'est étouffée parce que je l'avais fait boire trop rapidement. Lorsqu'elle repris son souffle, elle me lança: «Mais tu es dont bien méchante, tu aurais pu me tuer!» Je me suis sentie effectivement très méchante. Cette émotion s'enregistra dans ma mémoire émotionnelle. Voilà pourquoi j'avais tant peur de décevoir les autres, de leur faire de la peine, et pourquoi je pensais et disais: «J'aime mieux souffrir que de voir quelqu'un d'autre souffrir.» Cette première découverte me guida vers beaucoup d'autres situations où j'avais vécu de la culpabilité.

Au début du chapitre précédent, j'ai relaté qu'un jour je me suis arrêtée et j'ai pensé: «J'ai sûrement décidé que je ne méritais pas d'être heureuse!» Mais alors, quand et pourquoi? Une fois encore la réponse était logée au niveau de ma mémoire émotionnelle.

Quand ma mère a quitté mon père pour sa survie et la mienne, je me suis sentie responsable à la fois de la fuite de ma mère et de l'abandon que subissaient mes frères et soeurs. (Il faut se rappeler que le foetus vit des émotions qu'il comprend en fonction de ce qu'il a à dépasser dans cette existence. On n'arrive pas en premier ou en dernier par caprice d'un Dieu ou du destin, mais en fonction des expériences par lesquelles on doit passer pour apprendre, se conscientiser et se libérer ou encore, des qualités que l'on doit développer).

Cette culpabilité a été amplifiée à l'âge de trois ans et demi. Ma mère me dit un jour: «Aujourd'hui, on va aller voir ta petite soeur.» Jusqu'à cette âge, j'ignorais que j'avais des frères et des soeurs. Après le départ de ma mère, mon père avait placé ses enfants à différents endroits et la plus jeune fut placée chez les religieuses. Lorsque je l'ai vue, elle m'a semblé bien misérable dans sa robe de couventine trop grande pour ses quatre ans et demi. Ses cheveux étaient coupés au carré et presque rasés dans la nuque. Devant elle, j'avais l'impression d'être une princesse dans mon joli petit manteau de velours rose avec mes longs cheveux bouclés. J'ai pensé: «Ce n'est pas juste que moi j'aie tout (en pensant à maman, grand-maman, grand-papa, mes jolis vêtements et jouets), et qu'elle n'ait rien.» C'est suite à cet événement que j'ai commencé à maigrir (à cette époque être potelée égalait être jolie) et à m'enlaidir. Inconsciemment, je ne voulais pas être jolie. À l'âge de six ans, j'ai été envoyée à mon tour chez les religieuses où j'ai eu droit à la coupe en balai du couvent et à l'éloignement de ma mère.

Cet événement était bien présent sur le film de ma vie. Chaque fois que j'avais l'impression d'avoir plus que les autres, inconsciemment j'attirais un événement pour détruire ce surplus que j'avais et ce, autant sur le plan matériel, professionnel, qu'affectif.

En voici quelques exemples. À l'âge de dix-neuf ans, mon fiancé m'offre un très joli manteau de lynx. Je l'ai brûlé sur une bouche de chaleur. À vingt-deux ans, j'épouse cet homme qui me comble en m'offrant le mariage de mes rêves (mariage que n'avaient pas eu mes soeurs). Quelques semaines avant le mariage, je découvre cet homme que j'aimais avec une autre femme. Je suis très consciente aujourd'hui, d'avoir attiré ces événements par la culpabilité d'avoir eu une fois encore plus que les autres. À l'époque, je l'ai accusé d'avoir détruit trois ans de bonheur, de m'avoir trahi. J'agissais comme celui qui en veut à l'écran de lui projeter des scènes qui lui font vivre des émotions, et qui finit par détruire cet écran inutilement car le film continue.

Oui, le film a continué. Le 16 septembre 1986, j'ai ouvert le Centre d'Harmonisation Intérieure à Montréal. Lorsque je suis entrée dans ce centre, alors que tous les travaux d'aménagement étaient terminés, j'ai pensé: «Oh mon Dieu, mais j'ai le plus beau centre à Montréal.» Moins de deux ans après, je l'ai fermé étant au bord de la faillite.

Mon film a continué aussi avec une très belle relation que j'ai vécue. Je me souviens m'être sentie coupable de vivre un si grand bonheur alors que mes secrétaires étaient si mal en point dans leur vie affective. Nous devions nous marier. Quelques mois avant la date prévue, l'homme que j'aimais profondément m'a annoncé qu'il devait partir sans vraiment savoir pourquoi.

C'est ainsi que le film s'est manifesté de multiples fois dans ma vie sans que je comprenne pourquoi! J'en étais venue à croire que chaque fois qu'il m'arrivait une situation heureuse, je devais la payer par un malheur d'un aussi grand calibre. Jusqu'à ce que je comprenne que ces situations étaient en relation avec la culpabilité que je portais d'avoir eu plus que mes frères et soeurs, plus spécialement celle que j'avais vue chez les religieuses à l'âge de trois ans et demi.

COMMENT ME SUIS-JE LIBÉRÉE?

En créant un nouveau film grâce à la technique du film positif.

Dans mon film négatif, j'ai écrit ce que j'avais vécu ainsi que l'interprétation que j'avais faite des événements. Dans mon film positif, j'ai réécris ces mêmes événements avec une nouvelle compréhension qui m'a libérée.

La culpabilité: *«Ma mère a souffert de la violence de mon père et quitté mes frères et soeurs parce qu'elle me portait»* est devenu: *«J'ai donné le courage à ma mère de partir; mes frères et soeurs avaient à dépasser une situation d'abandon dans leur vie dont je n'étais nullement responsable.»*

Face à ma petite soeur, qui avait moins que moi, j'ai écrit: *«Ce qu'elle vivait faisait partie de ce qu'elle avait à vivre, si c'était moi qui avais eu cela à vivre, c'eût été moi qui l'aurais vécu. Ce que j'ai eu ne lui a jamais rien enlevé et ce que j'ai vient de ce que j'avais à récolter. Détruire ce que j'ai, ne peut nullement être utile à qui que ce soit. J'accepte donc de recevoir davantage, d'avoir plus si tel est ce que j'ai à vivre, afin d'être en mesure de donner davantage et je remercie pour tout ce que je reçois et pour tout ce que j'ai reçu par le passé».*

Depuis le jour où je me suis libérée de ces profondes culpabilités, j'ai tellement reçu à tous les plans. Surtout, j'ai trouvé la paix en moi. J'ai cessé de m'autopunir lorsqu'il m'arrive des événements qui me font vivre des moments de bonheur. Par conséquent, ils sont de plus en plus fréquents.

ANGÈLE BLESSE SON PETIT FRÈRE

Angèle a trois ans et son petit frère est au berceau. Ce bébé pleure souvent. Il se calme habituellement lorsqu'on le berce dans son berceau. Un jour qu'il pleure, plus qu'à l'accoutumée, son père lui impose de le bercer pendant des heures. N'en pouvant plus, à bout de patience de l'entendre pleurer, elle le berce d'un mouvement si brusque que le bébé est projeté hors de son berceau. Dans sa chute, il se fracture les deux jambes. Angèle porte cette culpabilité pendant des années, convaincue qu'elle est méchante. Elle tente de se racheter en s'oubliant complètement pour les autres, en ne prenant jamais de décisions par elle-même au cas où sa décision pourrait déplaire à qui que ce soit. Elle épouse un homme alcoolique qui lui fait la vie très dure. Elle finit pas sombrer elle-même dans l'alcoolisme. Sa vie est une destruction totale jusqu'à ce qu'elle comprenne cette culpabilité qu'elle porte, et qu'elle s'en libère.

J'ai observé que les personnes qui épousent des alcooliques qui les maltraitent, se retrouvent plus souvent dans trois catégories: soit que la personne a un parent (père, mère, oncle, etc) alcoolique qu'elle n'a pas accepté; soit qu'elle a un parent alcoolique qu'elle voulait aider (l'âme du sauveteur) ou encore, qu'elle porte une culpabilité profonde ou qu'inconsciemment elle veut être punie.

Angèle s'est donc pardonnée de ne pas avoir compris qu'elle n'avait jamais eu l'intention de faire du mal à ce petit frère; qu'elle avait eu un geste d'impatience. Un geste d'impatience ne signifie pas que l'on soit méchant pour autant.

Jésus disait: «Que celui qui n'a jamais péché lui lance la première pierre.» Pourquoi se lancer la pierre? Détruire sa vie n'efface pas le geste d'impatience. Gardons en mémoire que tout ce qui nous arrive fait partie de ce que l'on a à vivre. Cela est aussi vrai pour les autres.

NATHALIE VOIT SON AMIE MOURIR DEVANT SES YEUX

Nathalie rentre de l'école par l'autobus scolaire. Alors que les enfants quittent l'autobus, le conducteur les rappelle, désignant un sac à dos qui a été oublié sur le banc. Nathalie reconnaît son sac. Son amie va au-devant pour le chercher. Dès qu'elle quitte l'autobus, elle traverse la rue pour rejoindre ses copines. Un chauffard ayant perdu le contrôle de son véhicule veut éviter les enfants à sa gauche et se dirige alors vers la droite ne voyant pas l'amie de Nathalie. Il la tue sur le coup.

Pendant des années Nathalie a pensé: «Si je n'avais pas oublié mon sac, Josée ne serait pas morte.» C'est ainsi qu'elle s'autopunit pendant des années en détruisant tout ce qui pourrait la rendre heureuse.

C'est en se libérant de cette culpabilité par le film de sa vie qu'elle transformera sa vie au positif. Je l'ai aidée à comprendre que la mort de son amie n'avait rien à voir avec son sac oublié. Si son amie n'était pas retournée à l'autobus, elle aurait peut-être été frappée en marchant à côté de ses amies ou encore, si ce chauffard était passé deux minutes plus tôt ou plus tard, elle ne serait peut-être pas morte, même ayant rapporté le sac. Pourquoi cet accident est-il arrivé à ce moment précis? Parce que l'un et l'autre avaient des choses à vivre, à apprendre et à dépasser tout comme ceux et celles que cet événement a affectés.

LA MÈRE DE MARTINE DÉCÈDE À SA NAISSANCE

À chaque anniversaire de Martine, au lieu des traditionnels «Bonne Fête», le père de Martine lui dit: «Ca fait X années aujoud'hui que ta mère est morte.» Cela contribue toujours à la chagriner et à amplifier son sentiment de culpabilité. À l'âge de quatre ans, son père se remarie et comme elle n'apprécie pas vraiment cette seconde mère, elle lui est parfois rebelle. Dans un moment de colère, cette dernière lui dit: «Toi, tu as tué ta mère et tu vas le payer toute ta vie.» Cela explique les nombreuses maladies et dépressions que vit Martine.

Il faut savoir que lorsque l'on porte des culpabilités, on s'attire des personnes ou des situations pour amplifier ces culpabilités. Lorsque l'on s'en libère, ces situations cessent de se reproduire. C'est ainsi que l'on peut dire que: «Personne ne peut nous faire sentir coupable si nous-mêmes nous ne nous sentons pas coupable.»

Comment Martine a-t-elle pu changer le film de sa vie face à cette culpabilité?

Dans son film positif, elle écrit: *«Ma mère a dû quitter cette vie au moment où je suis arrivée. J'ai attiré cette mère afin d'apprendre la loi du détachement. Peut-être croyait-elle qu'il n'y a pas plus grand amour que de donner sa vie pour celui ou celle que l'on aime? Quoi qu'il en soit, j'accepte qu'elle, mon père et moi avions cela à vivre. Ma naissance a été simplement l'occasion qui lui a permis de quitter ce monde. Je me pardonne entièrement la souffrance que je me suis infligée par mon incompréhension comme je pardonne aussi à ma seconde mère ces paroles blessantes. J'accepte qu'elle m'a toujours aimée autant qu'elle le pouvait et qu'il n'était parfois pas facile de transiger avec une enfant rebelle. Elle ne pensait nullement ce qu'elle disait, ce n'était que le feu d'une colère nourrie qu'elle exprimait dans ces mots ce jour-là. Aujourd'hui, j'accepte ce que la vie a de meilleur à m'offrir.»*

PIERRE ET SON FRÈRE DÉCÉDÉ

Pierre vient me consulter parce qu'il vit un burn-out depuis un an et demi. À la thérapie, je découvre qu'il a vécu avant ce burn-out de profondes émotions lors du décès de son frère et qu'il s'est bien gardé de les montrer à qui que ce soit. Dans mon bureau, il éclate en larmes en me disant: «Je ne lui ai pas dit que je l'aimais et maintenant il est trop tard.» Combien de personnes, lors du décès d'un de leur proche, ce sont montré détachées, remplies d'acceptation? On les félicitait pour leur force, leur courage, alors qu'au fond, elles tentaient d'étouffer leur chagrin. C'est parfois des années plus tard que ce chagrin refait surface. Pierre aimait beaucoup ce frère qui était si gentil et qui lui manifestait son amour. De son côté, il ne savait pas lui exprimer ses sentiments et c'est bien ce qu'il se reprochait, de ne pas lui avoir exprimé tout l'amour qu'il ressentait.

Lorsque Pierre comprit que ce n'est pas le corps physique qui capte les sentiments mais le corps astral qui correspond à une partie de l'âme, il sut que son frère connaissait ses sentiments. Je lui ai demandé: «Si c'était toi qui étais mort, aimerais-tu que ce frère que tu aimes soit malheureux parce que tu es parti?» Il m'a répondu que non. Alors je lui ai dit: «Pourquoi le fais-tu toi? Qu'est-ce que tu crois qui peut le plus rendre ton frère heureux là où il est, sinon de te savoir heureux?»

«Ceux que nous avons aimés et que nous avons perdus ne sont plus là où ils étaient, mais ils sont toujours et partout là où nous sommes.» (Alexandre Dumas)

JACQUELINE EST BOULIMIQUE

Jacqueline souffre de boulimie depuis des années. Elle s'empiffre tant qu'elle le peut et finit par se faire vomir. Lorsque je la rencontre, elle me fait penser à une gamine qui tape sur sa poupée en lui disant: «Bien fait pour toi, vilaine poupée.» La poupée, c'est elle-même. Pourquoi Jacqueline se fait-elle tant de mal? Elle me raconte que sa mère décède quelques mois après la remise de son diplôme de fin d'études. D'aussi loin qu'elle se souvienne, elle a toujours vu sa mère malade. On disait autour d'elle que sa mère n'était pas faite pour avoir des enfants et que c'est après la naissance de ses enfants, surtout le deuxième (qui est Jacqueline), que ses problèmes ont commencé. Jacqueline se croit responsable, par sa naissance, de la maladie, de la souffrance et même de la mort de sa mère. Sa mère lui disait: «Je ne partirai pas avant que vous ayiez tout ce qu'il vous faut pour être autonomes.» Jacqueline a très peur de grossir. S'empiffrer comme elle le fait, est une façon de se faire mal mais elle amplifie cette souffrance en se faisant vomir. Elle s'en veut d'être venue au monde.

Elle a réussi à se libérer graduellement de cette culpabilité profonde lorsqu'elle a compris qu'une des plus grandes joies de sa mère a été d'avoir des enfants. Comme elle attendait qu'ils soient autonomes pour partir, peut-être serait-elle partie beaucoup plus tôt si elle n'avait pas eu ses enfants? Ces années lui ont sûrement permis d'intégrer plusieurs expériences dont elle avait besoin avant de partir. Se faire mal ne changeait rien à la situation. Et comme Pierre, elle a compris que ce qu'elle pouvait faire de mieux était d'être heureuse afin de pouvoir s'apporter davantage et apporter davantage autour d'elle.

GILBERTE A CONFIÉ SON ENFANT À L'ORPHELINAT

Gilberte a plus de cinquante ans et en est à son douzième pontage. Son coeur est en piètre état. Elle a de la difficulté à monter un escalier. C'est sa fille qui lui offre une thérapie avec moi. Au cours de la thérapie, je lui explique que le centre cardiaque situé au niveau du coeur est relié au centre solaire, centre des émotions (on peut revoir à ce sujet «**Les centres d'énergie**» dans mon premier volume). Ainsi, je l'interroge sur les émotions vécues. Elle a vécu une vie de couple des plus malheureuses qui était en résonance avec la culpabilité d'avoir eu à confier un enfant à l'orphelinat, avant son mariage. Quand sa mère apprend qu'elle est enceinte, elle lui dit: «Va demander pardon à ton père pour le mal que tu lui fais.» Sa culpabilité est davantage reliée au fait d'avoir causé de la peine à sa famille, de l'avoir déshonorée.

Étant donné que Gilberte a elle-même une fille, je lui demande alors: «Si ta fille célibataire t'annonçait qu'elle est enceinte, comment prendrais-tu cette situation?» Elle me répond: «J'ai justement vécu cette situation!»

- «Comment l'as-tu prise?»
- «Bien, aujoud'hui c'est très courant.»
- «Si tes parents avaient vécu la même situation à l'époque où nous vivons maintenant, crois-tu qu'ils auraient eu autant de peine?»
- «Je ne crois pas.»
- «Alors, vois-tu que ce qui leur a fait de la peine, ce n'est pas toi, mais plutôt les tabous qu'ils entretenaient, qu'ils voyaient profaner? Se peut-il que tes parents aient eu, dans leur propre évolution, à dépasser leurs tabous, leurs jugements et leur rigidité? Se peut-il que c'est ce que cette situation avait à leur apprendre? Pour ce qui est de ton enfant, si la situation avait été idéale, l'aurais-tu confié à l'orphelinat? Que souhaitais-tu le plus pour cet enfant? Qu'il soit accueilli par une bonne famille, qu'il ait toutes les chances d'être heureux, d'étudier et de réussir dans sa vie. Peux-tu accepter que tu as agi par amour pour cet enfant? Peux-tu encore te reprocher quoi que ce soit?»
- «Non. Pourquoi les médecins ne nous parlent-ils pas comme ça au lieu de nous bourrer de médicaments et de nous opérer?»

Après l'atelier de libération de la mémoire émotionnelle, elle a partagé: «Je repars avec un nouveau coeur.»

GINETTE VOLE LE CHÈQUE D'ALLOCATION FAMILIALE À SA MÈRE

Les parents de Ginette ont peu d'argent; tous les deux travaillent très fort pour joindre les deux bouts. Ginette aperçoit un chèque d'allocation familiale qui traîne dans l'armoire depuis quatre jours. Pensant que sa mère l'a oublié, elle le prend, imite la signature de sa mère, le change et s'achète un gilet qu'elle désire avoir. Quelque temps après, sa mère se demande où est passé le chèque. Elle apprend que le chèque a été changé à l'épicerie. La situation tourne quelque peu au drame parce qu'elle avait absolument besoin de cet argent. C'est la plus jeune soeur de Ginette qui est accusée. Ginette se sent incapable d'avouer son forfait, mais elle s'en veut tellement qu'elle s'impose de dormir sur le plancher pour se punir. À quarante-quatre ans, elle n'a jamais révélé cette culpabilité qu'elle porte. Elle continuait (sans même le savoir) à s'autopunir surtout sur le plan financier. Elle vivait le plus souvent sous le seuil de la pauvreté. Lorsqu'elle comprit qu'elle n'avait jamais voulu mettre ses parents ou sa soeur dans une situation embarassante, qu'elle avait seulement pensé que ce chèque, d'un montant peu élevé, n'était pas si important puisque sa mère semblait l'avoir oublié, elle s'est pardonné son geste. Elle a accepté que sa famille n'avait pas été plus pauvre à cause de ce manque. Après la libération de cette culpabilité, sa vie s'est transformée du jour au lendemain. Elle a reçu de l'argent qu'elle n'attendait pas; obtenu une augmentation de salaire et occupé un poste à plein temps alors qu'avant cette libération elle n'était appelée que sporadiquement.

Encore une fois, c'est la compréhension donnée à un événement qui tisse les fils de notre vie. En changeant cette compréhension, en pardonnant et en se pardonnant, on observe très rapidement des transformations. C'est ce que nous approfondirons avec le prochain chapitre «Maîtriser ses émotions».

Je t'invite à relire le chapitre sur «Les maladies reliées à la culpabilité» dans mon premier volume, ainsi que «Se libérer de la culpabilité» dans le dernier chapitre de ce même volume. On peut y lire que bien des incidents, accidents, insomnies, maladies, dépressions, événements malheureux dans sa vie ont souvent comme cause: la culpabilité.

CHAPITRE V

MAITRISER SES ÉMOTIONS

Selon un très vieil enseignement hindou, repris par plusieurs écoles de pensée, l'être humain serait comparable à une calèche tirée par des chevaux ayant un conducteur et un passager.

La calèche représente notre corps physique que le «SOI» emprunte pour son voyage terrestre.

Les roues représentent notre énergie.

Les chevaux représentent nos émotions.

Le cocher représente notre mental.

Le passager représente le Maître intérieur ou le SOI.

Les bagages représentent ce que nous transportons de notre passé.

La route représente la voie de notre évolution.

Qu'arrive-t-il à la calèche quand les chevaux prennent le mors aux dents et filent à vive allure hors de contrôle? Les roues en sont les premières affectées, puis la calèche risque de se renverser et d'être endommagée.

Voilà exactement ce qui se passe lorsque l'on n'est pas maître de ses émotions. Chaque fois que mon corps est affecté, j'ai intérêt à rechercher quelle émotion (de peur, de colère, de frustration, de culpabilité, etc.), j'ai vécue avant l'apparition du mal-être que je vis. (Le volume **«Participer à l'Univers, sain de corps et d'esprit»**, peut t'aider dans ce sens).

Comment donc maîtriser mes chevaux?

Le cocher représente le mental. C'est lui qui pense, analyse, prend des décisions. On le compare très souvent à un ordinateur, puisqu'il est capable d'emmagasiner, dans ses mémoires, un nombre incalculable d'informations de la naissance à la mort. Le cocher est limité par ce qu'il voit et entend. Il se base sur ses expériences passées pour avancer sur la route de la vie. Le rôle du cocher consiste à conduire la calèche sur la route de l'évolution tout en la protégeant des dangers afin qu'elle atteigne sa destination. (Réalisation du chemin de vie). Pour ce faire, le cocher a besoin de chevaux. Les chevaux, ce sont nos émotions, et c'est au moyen de nos émotions que nous pouvons avancer sur la route de notre évolution. Donc, j'accepte mes émotions comme étant utiles au cours de mon voyage terrestre.

Pour diriger ou contrôler ses chevaux, le cocher dispose de harnais. L'un représente nos sentiments et est associé au coeur. L'autre représente nos pensées et est associé à la tête. Qu'arrive-t-il lorsque le cocher tire sur un seul harnais? Les chevaux tournent en rond et n'avancent pas. Lorsque l'on comprend une situation uniquement avec sa tête ou que l'on ne pardonne pas avec son coeur, on ne fait que tourner en rond. On n'avance pas. Pour avancer, il faut unir ses pensées et ses sentiments autour de la voie de l'Amour.

Il arrive que les chevaux soient dociles, avancent bien et notre cocher tout heureux chante: «Que c'est beau la vie!» Puis il se retrouve à une croisée des chemins, confus, perdu, ne sachant trop quelle voie emprunter. Alors, il s'informe et s'engage sur une route qu'on lui a suggérée pour réaliser qu'il s'est trompé. Il fait alors demi-tour et revient à son point de départ. Quelquefois il n'écoute personne, choisit au hasard et tombe dans un précipice. Parfois il a si peur qu'il affole ses chevaux. Ils prennent le mors aux dents et le voilà accroché aux harnais, la calèche renversée. Quelqu'un lui crie: «Lâche les harnais», mais il a trop peur et refuse de les lâcher tant et si bien que ce sont les harnais qui le lâchent.

Le cocher, c'est l'égo ou le moi. Il veut être en situation de contrôle, il veut avoir raison, il veut être admiré, flatté. Il veut qu'on lui dise comme il est bon et capable. C'est pourquoi dans cette recherche d'appréciation, il a peur de ne pas être aimé, de faire des erreurs qu'on pourrait lui reprocher, de ne pas être à la hauteur et de vivre un sentiment d'infériorité. C'est pourquoi il veut tout contrôler et en voulant tout contrôler, il perd le contrôle et passe son temps à réparer sa calèche ou à tourner en rond au lieu d'avancer.

Un jour, il découvre enfin qu'il transporte un passager et que ce passager est celui qui peut le mieux l'aider, car lui n'a pas besoin de voir ou d'entendre pour savoir. Le passager (le SOI ou le Maître intérieur) sait exactement où doit se rendre la calèche et quelles sont les routes qu'il doit emprunter.

Si notre cocher est conscient de la présence de son passager, chaque fois qu'il a peur, qu'il se sent confus, qu'il ne sait plus quelle direction prendre, il consulte son Maître intérieur. Cependant, pour être en mesure de l'entendre, il doit rester calme, paisible et attentif aux messages du Maître. Parfois, alors qu'il se sent perdu ou en perte de contrôle de ses chevaux, il peut tendre tout simplement les harnais au maître intérieur.

Chaque fois que j'accepte une situation même si je ne comprends pas pourquoi je la vis, je tends les harnais au Maître. C'est ainsi que je peux maîtriser la situation puisque c'est le Maître qui est aux commandes. Maintenant chaque fois que j'ai peur ou que je ne sais pas comment je vais y arriver, ou comment cela va s'arranger, je dis: «À la grâce de Dieu.» Je donne automatiquement les harnais à mon Maître et tout s'arrange ou bien je sais exactement, peu de temps après, ce que je dois faire.

Une compagne de travail me demandait: «Combien de temps cela t'a-t-il pris avant d'être aussi à l'aise pour donner une conférence?» Je lui ai répondu: «J'ai été à l'aise dans mes conférences le jour où j'ai cessé de vouloir performer.» Ce n'est pas une question de temps. Aujoud'hui, lorsque je dois donner une conférence ou un atelier, je laisse le Maître s'exprimer par moi et jusqu'à maintenant, il m'a appris plus que tous les livres que j'ai lus. Cependant, il lui arrive de m'orienter vers un volume ou un conférencier.

Jésus disait: «Mon Père et Moi ne faisons qu'un.» Phrase que peu ont compris. Qui est le Père? Le Fils? et Le Saint-Esprit? Le père c'est le Maître intérieur. C'est notre partie divine qui sait tout, qui connaît tout et peut tout. Le Fils c'est le moi, l'égo, celui auquel on doit renoncer pour atteindre la vie éternelle. Le Saint-Esprit c'est Dieu ou TOUT, c'est-à-dire l'ensemble de l'Univers visible et invisible (à nos yeux physiques).

En résumé pour mieux maîtriser les commandes de ma calèche et bien diriger mes chevaux, je dois être de plus en plus à l'écoute du Maître intérieur et ce:

- en acceptant que tout ce que j'ai vécu et tout ce que je vis a sa raison d'être;

- en acceptant que tout ce que les autres ont vécu ou vivent fait partie de ce qu'ils ont à vivre pour atteindre leur destination;

- en **lâchant prise**, c'est-à-dire en cessant de vouloir avoir raison, en cessant de vouloir tout contrôler, et en cessant de vouloir changer les autres ou les situations, surtout en se connaissant soi-même, afin de découvrir sa propre voie et, par son exemple, motiver les autres à découvrir la leur.

QU'EST-CE QUI FAIT PRENDRE LE MORS AUX DENTS AUX CHEVAUX?

En revoyant le film de sa vie, nous avons été en mesure d'observer que c'est la compréhension donnée à une situation qui a contribué à nous créer de la joie ou de la peine. On a aussi constaté qu'en changeant cette compréhension, on pouvait se libérer de cette peine passée qui a créé un blocage dans notre vie.

Lucien Auger, dans son approche «Émotivo-Rationnelle» (qui est fort intéressante soit dit en passant), parle de l'interprétation que l'on fait d'un événement, ce qui est la même chose que la compréhension. Son approche est très semblable à celle-ci, puisqu'elle m'a inspiré celle que je vous présente.

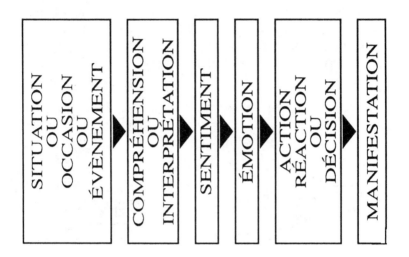

UNE SITUATION PASSÉE.

ÉVÉNEMENT

La mère de Sylvie dit à Marie, devant sa fille: «Si ça n'avait été que de moi, j'aurais eu seulement trois enfants.» Or voilà que Sylvie est la quatrième enfant de la famille.

INTERPRÉTATION

Elle comprend ou interprète: «Ma mère ne voulait pas de moi.»

SENTIMENT

Le sentiment qui naît est un sentiment de **rejet**.

ÉMOTION

Ce sentiment donne naissance, à son tour, à une émotion de **peine** mêlée de **colère**.

101

RÉACTION

Sa réaction est de se fermer à sa mère: «Elle ne voulait pas de moi, moi non plus je ne veux pas d'elle.»

MANIFESTATION

Chaque fois qu'elle aime une personne, elle a l'impression d'être de trop. C'est ainsi qu'elle s'attire le plus souvent des hommes mariés ou bien des situations où encore une fois elle a la sensation d'être de trop et de revivre continuellement du rejet.

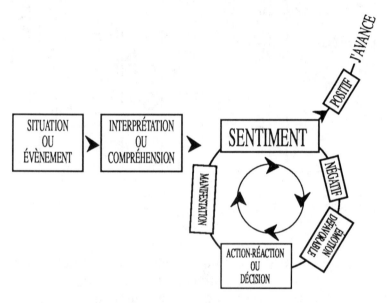

Si nous comprenons bien, c'est la compréhension ou l'interprétation qui donne naissance au sentiment positif ou négatif.

Maintenant reprenons l'événement. Sylvie retourne en pensée à la situation qu'elle a vécue et refait une interprétation des paroles de sa mère: «J'aurais préféré avoir seulement trois enfants parce que je voulais tellement leur donner le maximum, mais si tu savais comment je remercie le ciel de t'avoir eue.» Qu'est-ce qu'une telle interprétation peut faire naître chez Sylvie? Un sentiment de joie. Et voilà, elle avance. C'est ce que nous avons fait avec le film positif.

Est-ce que notre nouvelle interprétation doit être nécessairement ce qu'a pensé l'autre personne? Quelle importance qu'elle l'ait pensé ou non? Ce qui est important c'est ce que tu penses toi, car ta récolte sera le fruit de tes propres semences.

Les émotions sont-elles toujours mauvaises?

En fait, rien n'est bon ni mauvais, il n'y a que les effets qui nous sont favorables ou défavorables. La joie, l'enthousiasme, à titre d'exemple, sont des émotions qui sont favorables. Pour te libérer des émotions du passé, je t'invite donc à utiliser la technique du film négatif et positif. Pour les nouvelles émotions ou les plus récentes, tu pourras utiliser la technique du bilan de l'émotion. Il est important de le faire par écrit.

QUELLE EST LA RAISON DE FAIRE LE BILAN DE NOS ÉMOTIONS?

Premièrement pour ne pas accumuler et garder en toi cette émotion, donc pour t'en libérer le plus tôt possible.

Deuxièmement pour que tu apprennes comment réagir devant une situation similaire afin de ne pas revivre cette émotion.

Comment faire le bilan d'une émotion?

1. Écris la situation telle que tu l'as vécue.

2. Quelle a été ton interprétation?

3. Comment t'es-tu senti? (rejeté, manipulé, incompris, trahi, impuissant, abusé, dénigré, rabaissé, exploité, etc...)

4. Quelle(s) émotion(s) as-tu vécue(s)? (peine, colère, peur, frustration, déception, etc...)

5. Quelle a été ta réaction? (fuite, vengeance, fermeture, agressivité, moquerie, indifférence, etc...)

6. Quelles ont été les manifestations que tu as observées?

Malaises: fatigue, mal de gorge, de genoux, constipation, otite, sinusite, conjonctivite, vaginite, étourdissement, vomissement, etc...

ou

mal-être: angoisse, déprime, perte de joie de vivre, découragement, pleurs, etc...

7. Si tu regardes cette situation sous un angle positif, quelle pourrait être ta nouvelle interprétation?

8. As-tu vécu une situation similaire par le passé?

9. Qu'est-ce que cet événement t'a permis d'apprendre?

10. Si la même situation se reproduisait, comment agirais-tu cette fois?

La technique du bilan s'utilise après avoir vécu une émotion. Elle a l'avantage de nous rendre de plus en plus conscient. Plus nous sommes conscients, plus nous sommes attentifs à nos interprétations et plus nous avançons sur la voie du sentiment positif.

Lorsque j'étais directrice du Centre d'Harmonisation Intérieure l'«Éveil Radieux», à Montréal, une personne m'a proposé une idée pour promouvoir la publicité du Centre. Il s'agissait d'y présenter un défilé de mode de haute gamme où seraient conviées certaines personnalités bien en vue. Le prix des billets, pour cette soirée, était très onéreux. J'en ai été quitte pour une dette importante. Mais ce qui m'a fait le plus de peine a été la perte d'une amie qui m'était très chère. Environ un an après cette expérience, cette même personne est venue me proposer d'investir cette fois dans une revue publicitaire d'importance. Je lui ai répondu que je n'avais pas, pour le moment, les moyens de me permettre un tel investissement et que de toute manière, ce n'est pas moi qui m'occupait de ce dossier, mais mon administratrice.

Le lendemain, je me rends à St-Jean-sur-Richelieu. Avant de partir, j'appelle au Centre et parle à mon administratrice. Elle m'informe qu'elle a donné son accord pour une excellente affaire de publicité. Il s'agissait de cette même personne.

J'ai pensé: «Comment a-t-elle osé aller voir mon administratrice sans mon autorisation?»

Mon sentiment: Je me suis sentie piétinée dans mon autorité.

Mon émotion: Une colère est montée en moi. Elle était en résonance avec l'expérience vécue antérieurement et non pardonnée.

Ma réaction: J'ai voulu lui téléphoner afin de lui dire ma façon de penser. Heureusement, elle n'était pas là, cela m'a donné le temps de calmer mes chevaux.

La manifestation: Je me suis sentie fatiguée et la voix quelque peu éteinte après ce téléphone. Le lendemain, il m'est sorti un feu sauvage (la colère m'était restée sur les lèvres).

J'ai donc fait le bilan de la situation.

1. J'ai écrit la situation telle que je l'avais vécue.

2. J'ai identifié la compréhension que j'en avait faite. «Elle avait passé outre à mon autorité.»

3. J'ai identifié le sentiment qui m'a habité; c'était un sentiment de non-respect.

4. J'ai identifié l'émotion vécue: de la colère.

5. J'ai regardé ma réaction: lui dire ma façon de penser afin de donner raison à mon égo «c'est elle qui n'est pas correcte».

6. J'ai observé mes manifestations: fatigue, voix éteinte et feu sauvage.

7. Puis, je me suis calmée et j'ai tenté de trouver une compréhension (positive) qui me soit favorable.

Voilà ce que j'ai trouvé.

La première fois qu'elle m'avait proposé un défilé de mode, elle l'avait fait pour m'aider à faire connaître le Centre. Voyant que j'ai été perdante, elle cherche à réparer cette perte en me proposant une affaire qu'elle croit formidable pour moi. Me sentant fermée ou trop occupée pour étudier le projet à fond, elle s'en remet à la personne que je lui avais mentionné comme s'occupant de cette affaire.

Supposons qu'en réalité elle n'aurait pensé qu'à elle-même, se disant: «Il me faut avoir vendu tant de contrats publicitaires et je crois que j'ai des chances avec ce Centre.»

Si je me sens bien dans ma nouvelle compréhension, rien ne me prouve que ce n'est pas la bonne et si de plus, cela m'aide à me libérer de la colère et à vivre en paix, c'est cela qui est important.

8. Après, j'ai vérifié avec moi-même: «Ai-je déjà vécu une situation similaire?» Non, mais j'ai souvent agi de cette façon; passer outre à l'autorité d'une personne pour avoir ce que je voulais, moi.

9. Qu'est-ce que cet événement m'a permis d'apprendre?

Que j'agissais parfois moi-même de cette façon. Cela m'a également permis de voir ma difficulté à dire non. J'avais utilisé une autre personne comme bouc émissaire.

10. Si je devais revivre la même situation, comment agirais-je cette fois?

Je lui dirais tout simplement merci, mais je ne suis pas intéressée.

Ainsi cette émotion m'a fait avancer puisqu'elle m'a permis de me voir dans une façon d'agir qui ne m'était pas favorable en plus de m'apprendre à dire non quand je pense non.

C'est ainsi que lorsque l'on maîtrise une émotion, non seulement on s'en libère mais elle nous fait avancer.

À cette étape, tu es en mesure de comprendre que personne ne peut être responsable de tes émotions. Mais tu admettras avec moi qu'elles sont d'excellentes occasions pour te permettre d'évoluer.

DEVONS-NOUS NÉCESSAIREMENT ALLER VOIR LA PERSONNE ENVERS QUI ON A GARDÉ DE LA HAINE, DE LA RANCUNE OU VÉCU DE LA COLÈRE?

Lorsque j'apprenais à maîtriser mes émotions, je suis allée voir ma mère pour lui partager ce que je vivais lorsqu'elle me disait: «J'ai assez hâte que tu partes.» Ma mère ne s'en souvenait aucunement, mais voilà qu'elle se sentait coupable de m'avoir fait vivre de tels sentiments pendant des années. Si nous comprenons bien que les sentiments et les émotions vécus proviennent de notre propre compréhension ou interprétation, nous comprenons que cela nous concerne personnellement. Alors, c'est avec nous-mêmes qu'il faut régler cette situation. Cependant, il est bon d'aller voir cette personne sans nécessairement lui parler de cette émotion passée, mais afin de vérifier comment nous nous sentons en sa présence, quelles sont les pensées qui refont surface. Si je me sens bien et en paix en sa présence, je saurai que je suis libéré. Mais si, à l'inverse, je me sens tendu et que je préférerais ne pas la voir, je saurai que je ne suis pas encore libéré. Il peut arriver que tu sentes le besoin de lui dire des choses que tu aurais aimé lui dire. Alors je te suggère de lui écrire une lettre et de l'envoyer, en fumée, dans l'univers en brûlant cette lettre. Tu peux faire de même envers une personne décédée.

Cependant, dans une relation de couple, j'invite les partenaires à se partager mutuellement leurs émotions. Mais encore faut-il savoir comment. C'est ce que nous verrons dans la prochaine partie au chapitre XV «Résoudre efficacement des conflits avec l'autre.

QU'EST-CE QUI NOUS FAIT VIVRE LE PLUS D'ÉMOTIONS?

CE SONT NOS CHÈRES ATTENTES.

Attentes: d'être aimé à notre manière
d'entendre ce qui nous ferait plaisir
d'être approuvé
de performer
de plaire aux autres
de conquérir
de posséder
de gagner sur l'autre
d'avoir raison
que les choses se passent selon notre entendement
que les autres ou les situations changent
que les autres agissent selon ce que j'attends d'eux
que les autres soient davantage comme moi.

Voilà autant de raisons de vivre déceptions, frustrations, colères, peines, peurs, culpabilités. **Mieux vaux ne pas avoir d'attentes, s'il n'y a pas eu d'entente.**

Le secret, c'est de **se donner** ce qu'on attend des autres. Comment y arriver? En s'aimant soi-même. C'est ce que nous verrons dans le prochain chapitre.

CHAPITRE VI

S'AIMER SOI-MÊME
POUR MIEUX AIMER
LES AUTRES

Très peu de personnes s'apprécient et s'aiment vraiment. C'est ce qui explique que très peu de personnes savent comment aimer les autres. Pour une grande majorité de gens s'aimer soi-même signifie «être égoïste» et aimer les autres «s'oublier pour les autres en espérant qu'eux en fassent autant pour nous.»

Que de fois as-tu dit ou entendu dire: «Après tout ce que j'ai fait pour cette personne, je ne lui demande que ça et elle ose me le refuser. Quelle ingratitude! C'est terminé, je ne veux plus rien savoir d'elle.» Voilà ce que cette façon d'aimer apporte: attentes, déceptions, frustrations, colère, vengeance, rancune, haine, mépris et encore.

D'où nous viennent donc ces idées que l'amour de soi est égoïste et que l'oubli de soi est gratifiant? Comme nous l'avons vu dans un chapitre précédent, la réponse est dans notre héritage religieux. Jésus nous a été présenté comme un martyr qui a sacrifié sa vie en rachat de nos péchés. Jésus n'était pas un martyr bien qu'il ait connu la souffrance. Jésus-Christ fut l'un des plus grands PORTEURS DE LUMIERE. Ces paroles «Je suis la voie, la vérité et la vie», traduisent beaucoup mieux l'essence de l'homme-Dieu. Tous ses enseignements montrent la voie, véhiculent la vérité et enseignent comment atteindre la réalisation et la vie éternelle. Sa passion et sa crucifixion faisaient partie de ses enseignements.

Par son propre exemple, il nous a appris que quoique l'on ait subi (injure, moquerie, insulte, trahison, blessure, abandon), la voie de la libération passe par le pardon. Ne disait-il pas qu'il faut mourir à soi-même pour renaître à la vie éternelle? C'est également ce qu'enseignait Bouddha en son temps et à sa manière, et c'est ce que tant d'autres sages, philosophes, religieux, et auteurs ont aussi enseigné à leur époque. Mais encore fallait-il avoir des oreilles pour entendre et des yeux pour voir. N'y a t-il pas plus sourd que celui qui ne veut pas entendre et plus aveugle que celui qui ne veut pas voir?

Jésus-Christ a dit: «Tu aimeras ton prochain comme toi-même»; nous avons compris «Tu t'oublieras pour ton prochain comme Jésus s'est oublié pour toi». Nos mères et nos grands-mères en sont d'excellents exemples lorsqu'elles disent en se valorisant: «Moi je me suis sacrifiée toute ma vie pour mes enfants».

Le monde de mon enfance est à l'image de cette dichotomie. Ma mère était le portrait-type de la femme généreuse, courageuse, qui s'oubliait pour ses enfants (la sainte mère décrite par nos curés). Certaines de mes soeurs, selon ma compréhension de l'époque, représentaient les égoïstes. Étant très religieuse, j'optais pour le clan des généreux, c'est-à-dire ceux qui savent s'oublier pour les autres. Pour rien au monde je n'aurais voulu être moi-même égoïste. Il y a bien des formes d'égoïsme, mais j'aimais me faire croire que je ne l'étais point. C'est ainsi que j'essayais d'être au service de tous ceux et celles que je croyais pouvoir aider, m'oubliant parfois bien inutilement. Si une amie me complimentait sur ce que j'avais, je me sentais obligée de le lui donner. L'avoir conservé eut été, selon ma compréhension, «être égoïste». Lorsque nous étions enfant et que l'on refusait de prêter nos jouets, on se rappelle la remarque que l'on passait: «Regarde l'égoïste qui ne veut pas prêter sa poupée ou son camion». Cela peut nous faire comprendre pourquoi il y a tant de personnes qui ont de la difficulté à refuser ou à dire non.

Ce besoin d'être au service des autres afin d'être aimé, nous amène graduellement à développer l'âme du sauveteur. Et c'est ainsi que l'on s'attire bien des victimes. Le fait d'aider ces victimes me donnait bonne conscience, me faisait penser que je n'étais pas égoïste. Pourtant mon conjoint me reprochait de l'être. Comment pouvais-je l'être, alors que je passais ma vie à aider les autres et à faire tout ce que je pouvais pour les rendre heureux?

Il y a un «**mais**» car j'attendais qu'il en fasse autant pour me rendre heureuse, c'est-à-dire qu'il quitte la politique qui lui prenait du temps qu'il aurait pu m'allouer; qu'il soit à la maison lorsque j'avais envie d'y être avec lui; qu'il s'intéresse à mes lectures et à mes goûts alors que je ne m'intéressais que très peu aux siens. En fait, j'étais davantage égocentrique qu'égoïste. Il convient ici d'en faire la distinction.

QU'EST-CE QUE L'ÉGOÏSME?

Le dictionnaire le définit comme suit: «Disposition à parler trop de soi, à rapporter tout à soi.»(Le Petit Robert) Je définirais l'égoïsme comme une tendance à penser à so^i au détriment des autres. Prenons l'exemple d'une personne qui verse le contenu du cendrier de sa voiture dans un endroit public. Pour sa satisfaction personnelle, elle pollue l'environnement des autres. Cette pollution de l'espace de l'ensemble peut aussi se faire par le bruit, la fumée de cigarette et encore. Donc chaque fois que l'on nuit à l'harmonie de l'ensemble pour notre propre satisfaction nous agissons égoïstement.

L'ÉGOCENTRISME

Selon la définition du dictionnaire: «Tendance à être centré sur soi-même et à ne considérer le monde extérieur qu'en fonction de l'intérêt qu'on se porte.» (Le Petit Robert). Je le définirais comme suit: «Tendance à tout ramener à soi, soit dans la recherche de sa propre satisfaction ou les complaintes de ses insatisfactions ou malheurs.»

L'égocentrique critique continuellement parce que les choses ne se passent pas comme il le souhaite: le son est trop fort ou pas suffisamment, les explications d'un cours sont trop longues ou trop courtes, trop de monde pas suffisamment d'indications, trop d'attentes, etc.

Ces phrases traduisent bien cette tendance à tout ramener à soi:

- «Tu ne me comprends pas»
- «Tu n'as jamais de temps pour moi»
- «Tu ne m'écoutes jamais»
- «Les autres passent toujours avant moi»
- «Tu me laisses toujours seule»

- «Je n'ai jamais été aimé»
- «Je n'ai jamais eu de chance»
- «C'est toujours à moi que ça arrive»
- «Les autres ne peuvent pas savoir ce que moi je souffre»

L'égocentrisme trouve souvent ses racines dans le fait d'avoir été le centre d'intérêt de notre famille ou encore dans l'apitoiement sur des manques ou des événements malheureux. On ne veut pas les relâcher parce qu'elles sont tissées de rancunes ou de haines que l'on ne veut pas pardonner. La personne centrée sur elle-même a l'impression d'être seule à souffrir ou à avoir souffert. Si on lui dit qu'elle n'est pas la seule, elle répond: «Moi, c'est pas pareil.»

Donc chaque fois que nous souhaitons que les choses se passent à notre manière, chaque fois que nous souhaitons que les autres agissent ou changent en fonction de nos désirs, de nos attentes, pour notre propre satisfaction en ne tenant pas ou peu compte de leurs désirs et de leurs intérêts, nous agissons de manière égocentrique. L'égocentrisme comme l'égoïsme n'apportent pas le bonheur. Ils conduisent presque toujours la personne qui les cultive vers une grande solitude, des sentiments de frustration, d'échec et de désespoir qu'elle peut tenter de fuir dans l'alcool, la drogue ou le sommeil. Ils peuvent même la conduire jusqu'au suicide lorsqu'elle en arrive à penser que personne ne la comprend et que le monde est contre elle.

La seule solution pour sortir des griffes de son égocentrisme est de développer la véritable autonomie affective par l'amour de soi et l'attention aux autres. Un grand philosophe, Éric Fromm, disait: «Celui qui peut aimer, s'aime lui-même; s'il ne peut aimer que les autres alors il n'aime pas du tout.»

Parfois on peut confondre s'aimer avec se gâter et aimer les autres avec le fait de s'acheter de l'amour. Un besoin d'acquérir ou d'accumuler biens matériels, connaissances, diplômes, souvenirs, etc. ou de répondre continuellement à des envies de nourriture, alcool, cigarette, sport, magasinage, sexualité, peut traduire un vide intérieur des besoins essentiels de l'être humain, dont l'amour de soi ou la satisfaction d'être ce que l'on est. Tout comme un besoin excessif de répondre aux attentes des autres, de vouloir leur plaire ou de s'oublier pour eux peut traduire une piètre opinion de soi qui entraîne la peur de ne pas être aimé. Et c'est pourquoi nous y mettons le prix. C'est ce qu'on appelle s'acheter de l'amour.

Pendant des années, j'ai été cette personne qui ne s'aimait pas. On aurait pourtant cru l'inverse puisque je m'offrais tout ce que je désirais. J'avais beaucoup matériellement, à l'extérieur, mais j'étais vide à l'intérieur. Il me manquait une raison d'être, il me manquait l'amour, surtout l'amour de moi-même. J'étais le portrait-type de la personne qui ne s'aime pas.

PEUT-ÊTRE TE RECONNAÎTRAS-TU?

La personne qui ne s'aime pas ne s'attend pas à ce qu'on l'aime, car ne s'aimant pas, elle ignore ce que c'est «aimer». Elle confond avec posséder; voilà pourquoi, elle cherche constamment des preuves d'amour. Elle demande souvent à celui qu'elle croit aimer: «Est-ce que tu m'aimes?» Et même si l'autre dit qu'il l'aime, elle en doute. Chaque fois qu'elle se sent délaissée, incomprise, elle lui dit: «Au fond tu ne m'aimes pas, parce que si tu m'aimais, tu ferais ou tu dirais ceci ou cela.»

Elle vit continuellement dans la peur d'être rejetée et c'est ce qui l'amène à s'isoler des autres, se rejetant elle-même. Quand les autres sont appréciés, elle se sent attaquée. Si l'on dit à la personne qui l'accompagne qu'elle est jolie, elle pense en elle-même: «C'est ça, moi je dois faire dur» ou si l'on parle d'une personne qu'elle connait et qui est très créative, encore là, elle pensera que cela sous-entend qu'elle ne l'est pas.

Comme elle doute de sa propre valeur, elle cherche à se mettre en valeur, en voulant paraître mieux que les autres. Les autres représentent une menace pour elle. C'est ce qui la pousse à devenir compétitive. Elle vit très souvent dans la peur que l'on voie ses faiblesses. C'est pourquoi elle porte un masque ou se cache derrière une façade.

C'est très souvent une personne merveilleuse, mais qui ne le sait pas, car on ne lui a jamais appris à se valoriser. Parfois on lui a fait croire qu'elle n'était pas aimable. C'est très souvent un enfant blessé dans un corps d'adulte qui cherche de l'amour mais qui en même temps en a peur. C'est pourquoi, elle ne se laisse pas apprivoiser facilement. Mais lorsqu'elle accepte de se laisser apprivoiser par quelqu'un, elle s'accroche de tout son coeur à cette personne. Elle devient possessive, parfois soupçonneuse et même jalouse de toute personne; cela peut être, un frère, une soeur, une amie, un enfant, etc.), ou de toute activité qui pourrait l'éloigner de cette personne. Dans son amour étouffant, elle finit par faire fuir celui ou celle qu'elle souhaite tant garder.

Par son manque d'amour envers elle-même, elle transmet le message (qu'elle a cru un jour): «Je ne suis pas aimable.» Tout comme un contenant de délicieux raisins sur lequel serait inscrit «non comestible» ferait fuir les plus friands de ces fruits, elle a peur d'être rejetée car elle ne s'accepte pas telle qu'elle est. Une chanson populaire de Fernand Gignac disait: «Pour être aimé, j'aurais vendu mon âme.» Pour être aimée, que n'aurai-je pas fait? J'ai commencé très tôt à m'acheter de l'amour. Enfant je m'occupais de la Sainte-Enfance ou d'autres oeuvres toutes aussi gratifiantes. Recevoir un diplôme d'honneur égalait pour moi «être digne d'être aimée». Plus tard, ce fut avec les patients chroniques de l'hôpital où je travaillais ou avec certains membres de ma famille que je secourais. Puis ce fut avec les hommes de ma vie que j'ai voulu aider afin qu'ils m'aiment. Quelque part en moi je doutais que l'on puisse m'aimer simplement pour moi-même. C'est pourquoi je me croyais obligée d'en faire beaucoup pour recevoir en définitive très peu. Comme je croyais que je ne valais pas plus que les miettes, je ne recevais pas davantage.

Si l'espace entre moi et la personne de qui je désirais être aimée était celui-ci X _____ X, je faisais 98% du chemin Je ne lui demandais que de faire un pas, ou de me dire les mots qui m'auraient tant fait plaisir. La plupart du temps, ces mots ne venaient pas. Comme j'avais investi 98% et l'autre 2%, le résultat était que je l'adorais et qu'il m'aimait bien! Parfois une personne me disait: «Tu en fais trop.» Et ce «trop» l'incommodait car elle se sentait incapable de me rendre ce qu'elle recevait et cela la faisait fuir. En plus, elle ressentait une certaine manipulation de ma part, à vouloir la conquérir et la posséder; ce qui brimait sa liberté de désirer ou de choisir.

Il m'arrivait souvent de penser: «Si quelqu'un en faisait autant pour moi, je l'apprécierais au lieu de le lui reprocher.» En fait, «Tu en fais trop» signifiait: «Aime-toi donc un petit peu pour que j'aies envie de t'aimer.»

Je parle de «personnes» car ces comportements ne s'adressaient pas seulement aux hommes que je désirais conquérir mais ils s'étendaient à toute personne de qui je souhaitais être appréciée et aimée.

Qu'est-ce que s'aimer soi-même? C'est penser à soi sans oublier les autres et penser aux autres sans s'oublier.

COMMENT S'AIMER SOI-MÊME?

La première étape consiste à s'accepter et à s'apprécier tel que l'on est.

EXERCICE:

Fais une liste des aspects que tu n'acceptes pas chez toi:

Exemples:
- ton poids
- ta grandeur
- tes cheveux
- tes jambes
- etc.

Ce peut être des traits de caractère, tels que:
- possessif
- jaloux
- désordonné
- dispersé
- colérique
- etc.

Maintenant, regarde comment tu peux améliorer cet aspect de toi-même.

115

On ne peut rien changer que l'on n'accepte pas

Accepter ne signifie pas apprécier, mais admettre, reconnaître, afin de faire face aux problèmes ou à la situation. Certaines personnes obèses ne se regardent que la tête dans un miroir, comme si elles voulaient oublier le reste de leur corps. Ce qu'elles ne savent pas c'est que *tout ce que l'on rejette on le projette*. Donc, plus elles rejettent leur poids, plus leur poids sera mis en évidence.

Fuir un problème n'apporte jamais une solution. Ne pas regarder son excès de poids ne fait pas maigrir pour autant. Si je veux m'en libérer, je dois commencer par reconnaître ce poids, regarder mon corps dans tout son ensemble et m'accepter. Si je suis prêt à m'aimer dans tout mon être, je ferai en sorte que le tout soit mis en valeur et non une seule partie.

Ce qui est vrai pour le poids est aussi vrai pour d'autres aspects de nous-même que nous rejetons. Pendant des années, j'ai vécu des périodes dépressives que je me gardais de verbaliser ou de montrer à qui que ce soit, sauf aux rares personnes qui en subissaient les effets. Ma mère m'avait toujours décrit mon père (décédé lorsque j'avais 6 ans), comme un malade mental et me disait à certains moments: «Tu es pareille comme ton père.» Intérieurement, je vivais avec la peur d'avoir une maladie mentale. C'est pourquoi je me rassurais en me faisant accroire que ces moments de déprime étaient passagers, se produisant surtout avant mes menstruations. Plus je refusais d'y faire face, plus ils devenaient fréquents. C'est au moment où j'admis cet état dépressif, que je pris des moyens pour m'en libérer. Et ce fut beaucoup plus facile que de vivre avec la peur d'être atteinte d'une maladie mentale.

Il est parfois difficile de se voir tel que l'on est car c'est parfois reconnaître une ressemblance avec telle ou telle personne que l'on a condamnée ou rejetée.

Pierre et l'alcoolisme

Pierre a un frère ainé alcoolique. Chaque fois qu'il rentre soûl à la maison sa mère pleure. Devenu adulte, Pierre présente tous les comportements d'un alcoolique bien qu'il ne boive qu'occasionnellement. Aussi refuse-t-il son état d'alcoolique, car le reconnaître l'amènerait à s'admettre qu'il est comme son frère ainé qu'il a tant rejeté et critiqué. Lorsqu'enfin il l'admet, il peut avancer sur le sentier de sa libération.

Si l'on pouvait simplement accepter que tous les êtres humains ont des qualités à développer et des faiblesses à dépasser, il serait plus facile de s'accepter. Mais voilà, dans notre compréhension, être aimé équivaut à être parfait. Les premiers de classe, les plus beaux, les plus gentils, les plus intelligents sont très souvent les préférés. Parfois nous nous sentions incapables d'atteindre la première place, alors on se révoltait contre ces premiers et contre l'autorité que l'on qualifiait d'injuste, dans sa distribution de compliments et d'affection. Pour couronner le tout on nous comparait à ces premiers:

- «Regarde ta soeur comme elle a de bonnes notes.»

- «La dernière est vraiment la plus jolie.»

- «Regarde ton frère comme il est intelligent.»

- «Regarde ton cousin qui s'en va en médecine.»

- «Fais comme ton frère si tu veux réussir.»

Toutes ces comparaisons nous ont apporté dévalorisation, culpabilité et désir de compétitionner.

ACQUÉRIR L'ESTIME DE SOI-MÊME

Fais maintenant une liste d'au moins trente-trois choses pour lesquelles tu as envie de te féliciter.

T'apprécier consiste à te féliciter plutôt qu'à te dénigrer ou te dévaloriser. Combien de personnes passent leur temps à dire du mal d'elles-mêmes mais ne supportent pas qu'on leur fasse la moindre critique?

On nous a appris: «Ne fais pas aux autres ce que tu ne voudrais pas que les autres te fassent.» Mais on ne nous a jamais appris: «Ne te fais pas à toi-même ce que tu ne ferais pas aux autres.» Si l'on veut respecter ce grand commandement d'aimer les autres comme soi-même, cette vérité prévaut.

Que de fois as-tu dit ou pensé: «J'aime mieux souffrir que de voir quelqu'un d'autre souffrir.» Ces mots traduisent: «Les autres sont bien plus importants que moi, ils méritent d'être plus heureux que moi.»

Si l'on ne s'aime pas, comment peut-on demander aux autres de nous aimer? Tout ce que l'on se fait, on autorise les autres à nous le faire en bien comme en mal. Si l'on ne pense jamais à soi, que l'on s'oublie constamment pour les autres, les autres nous oublieront.

Une participante me confiait: «Moi j'ai passé ma vie à penser à mon mari et à mes enfants. Lorsque l'un de mes enfants venait au monde, qu'est-ce que j'aurais donné pour que mon mari m'offre une fleur. Jamais il ne m'en offrait.» Je lui demandai: «Tu n'as jamais pensé à téléphoner à la fleuriste pour t'en faire livrer?». Elle fut toute surprise de ma question.

Non, elle n'y avait jamais pensé car elle croyait qu'aimer c'était s'oublier pour les autres et que penser à soi était être égoïste. Pourtant, si elle s'était offert le bouquet de fleurs qu'elle désirait tant, son coeur aurait été rempli de joie au lieu de tristesse pour accueillir cette nouvelle vie. Et son mari, la voyant heureuse d'avoir des fleurs, aurait peut-être eu l'idée de lui en offrir à une prochaine occasion.

Tout commence par soi. Le monde qui nous entoure est à l'image de ce que nous pensons que nous valons ou de ce que nous nous faisons à nous-mêmes. (On pourra revoir le chapitre «Etre soi-même»).

Souviens-toi que si tu juges ou te critiques, les autres te jugeront et te critiqueront. Avant de dire il ou elle me critique contamment, va vérifier si tu ne te critiques pas toi-même. Si tel est le cas, deviens plus tolérant envers toi-même, tu verras les autres devenir plus tolérants envers toi.

Si tu te fais des reproches, les autres t'en feront. Personne ne peut te faire sentir coupable si toi-même tu ne te sens pas coupable. Mais si tu te sens coupable, leurs reproches amplifieront l'effet de blâme que tu t'infliges. Comme le disait Eleanor Roosevelt: «Personne ne peut te faire sentir inférieur sans que tu y consentes d'abord».

Si tu ne te fais pas confiance, les autres ne pourront te faire confiance et tu ne pourras les blâmer de ne pas te faire confiance.

Si tu n'écoutes pas tes sentiments, personne ne les écoutera.

Si tu ne prends pas ta place, personne ne te la donnera.

Mais:

Si tu t'aimes, les autres t'aimeront.

Si tu penses à toi, les autres penseront à toi.

Si tu as du respect pour toi-même, les autres te respecteront.

Si tu t'apprécies, les autres t'apprécieront.

Si tu es honnête avec toi-même, les autres seront honnêtes envers toi.

Si tu es bon et gentil pour toi-même, les autres seront bons et te traiteront avec gentillesse.

Si tu as confiance en toi, les autres te feront confiance.

Que n'aurais-je pas fait ou donné autrefois pour me sentir aimée alors que la solution était si simple! Il s'agissait simplement de m'aimer moi-même. Ma première étape a donc été de m'accepter telle que je suis et d'apprendre à m'apprécier. Je me suis donnée le droit d'être tout ce que j'étais: d'avoir l'air snob, d'avoir peur d'être rejetée, d'être possessive, agressive à mes heures, mais aussi d'être douce, compréhensive, intelligente, courageuse, etc. Les aspects qui m'étaient les moins favorables, je les affrontai un à un. À chaque petite victoire sur mes peurs et mes faiblesses, je me félicitais et m'encourageais à me dépasser. C'est ce que je fais encore.

La seconde étape consiste à s'apporter ce qui peut le mieux contribuer à notre bien-être et à notre bonheur.

J'avais compris que l'Amour était DON DE SOI. Je n'avais pas compris qu'il devait être en premier un DON À SOI. C'est ainsi que pour être aimée, comme une très grande majorité de gens, je prenais plus de responsabilités que je n'en n'aurais moi-même demandées aux autres. Je me donnais entièrement jusqu'à ce que, vidée, je n'aie plus qu'un désir: tout laisser tomber et partir. Un de mes amis avait une description assez juste de ces états. Il me décrivait comme une personne très attentive aux besoins des autres mais lorsque ces personnes (que j'avais apprivoisées) devenaient trop lourdes ou trop nombreuses, je montais dans ma montgolfière et je disparaissais. **Si on ne sait que donner on se retrouve tôt ou tard vidé.** Que de personnes épuisées j'ai reçues en consultation. Des personnes qui ne savaient pas qu'elles avaient le droit de penser à elles.

MARCEL EST DÉVOUÉ

Marcel est l'une de ces personnes. On me l'a référé pour un cancer de l'oesophage. Marcel, âgé de cinquante-sept ans, est l'aîné de sa famille. À l'âge de onze ans, il a une petite soeur très souffrante qui pleure continuellement et qui finira par mourir à l'âge de quatre mois. Marcel aurait tant voulu soulager cette petite. Un peu plus tard, alors qu'il a treize ans, c'est son petit frère âgé de cinq ans qui meurt d'une pneumonie. Marcel voit son père pleurer pour la première fois. De nouveau le sentiment d'impuissance face à la souffrance vient le hanter. Toute sa vie il se consacre au service des autres et de sa communauté; effectuant très souvent lui-même les tâches en double. Voilà qu'à cinquante-deux ans, épuisé, après s'être tant donné à sa communauté, il revendique une retraite bien méritée. Parmi les activités qu'il quitte, il y a celle de directeur d'une chorale, fort appréciée d'ailleurs. Les membres de cette chorale lui disent qu'il ne peut les laisser; qu'en partant la chorale risque de disparaître, etc. Se sentant responsable, bien qu'épuisé, il continue. Comme il ne pense pas à lui, personne n'y pense. Inconsciemment, la maladie devient sa seule porte de sortie en lui donnant ce repos dont il a tant besoin. Un sentiment d'impuissance vécu par le passé, peut nous motiver à vouloir aider les autres.

MARIE ET L'IMPUISSANCE

Marie a trois ans lorsque sa mère redevient enceinte. Sa grossesse est pénible; elle fait de nombreuses crises de foie qui nécessitent de fréquentes visites du médecin. Durant la journée, Marie reste seule avec sa mère et assiste impuissante, à la souffrance de sa mère. Une tante lui dit un jour: «Tiens-toi tranquille, tu vas faire mourir ta mère.» Il n'en faut pas plus pour que Marie se sente coupable de la maladie de sa mère en plus de développer un sentiment d'impuissance face à la souffrance, la sienne et celle des autres.

Quelquefois ces personnes se demandent comment il se fait qu'elles puissent aider tant de personnes et qu'elles restent impuissantes devant la souffrance de celles qu'elles souhaiteraient tant aider? On peut revoir à ce sujet: «Le film de sa vie.»

Éric Fromm disait: «Celui qui s'aime sait répondre à ses véritables besoins et parce qu'il le fait, il lui reste suffisamment d'énergie pour aimer les autres.»

Lorsque l'on est vidé, on n'a plus rien à donner. Aussi est-il essentiel de se donner ce qui peut contribuer à notre bien-être, physique, mental, émotif et spirituel. Plus nous aurons du bonheur plus nous serons en mesure d'en faire profiter les autres. Nombre de personnes se sentent coupables de se reposer. Elles ont l'impression de perdre leur temps ou de paresser. Un jour mon assistante thérapeute me dit: «Claudia, si tu avais un appartement qui te coûtait moins cher, tu n'aurais pas besoin de travailler si fort.» Je suis convaincue que l'argent est de l'énergie et que si j'avais un appartement moins dispendieux j'attirerais moins d'argent. Je me suis alors demandé pourquoi est-ce que je travaille autant? Et j'ai compris. Enfant je n'ai jamais vu ma mère s'arrêter. Elle travaillait sans arrêt du lever au coucher. Travailler autant était inconsciemment une façon de lui rendre justice, d'avoir tant travaillé pour ses enfants. Je me sentais coupable lorsque je prenais du temps pour me reposer ou même pour regarder la télévision, ce que j'interprétais comme une perte de temps. J'ai compris que ma mère avait accepté l'idée que pour être une bonne chrétienne, elle devait se sacrifier pour ses enfants. Et c'est bien ce qu'elle s'attirait: des sacrifices. J'ai aussi compris que le fardeau que je me donnais n'allégeait en rien celui qu'avait porté ma mère. Et de plus, je risquais de transmettre à mes propres enfants l'idée «que la vie est difficile, que l'on ne peut s'arrêter avant sa mort».

MARIETTE VEUT PRENDRE LA PEINE DE SA MÈRE

Mariette veut soulager sa mère qui a une forte tendance à être dépressive. Elle la voit souvent pleurer et la sent profondément malheureuse. Alors que Mariette a douze ans, sa mère devient enceinte d'un cinquième enfant, qu'elle n'accepte pas du tout. Elle ne se sent pas la force d'élever un autre enfant. Lorsque cet enfant nait, Mariette quitte l'école pour s'occuper de cet enfant, soulageant ainsi sa mère. Plus les années passent, plus Mariette devient mélancolique avec des moments de déprime sans qu'elle puisse s'expliquer pourquoi. À l'âge de vingt-sept ans, alors que l'enfant qu'elle a élevé atteint une plus grande autonomie, elle se marie avec un homme bon, attentif, qui l'aime beaucoup. Après son départ, sa mère devient de plus en plus nostalgique et déprimée. C'est alors que la tristesse et les dépressions de Mariette augmentent sans aucun motif pouvant les expliquer.

Lorsque je la rencontre, elle en est à une première tentative de suicide. Pourtant Mariette a tout pour être heureuse, un bon mari qui l'aime, des enfants charmants, un emploi qu'elle aime, l'aisance financière. Inconsciemment, Mariette voulait prendre la peine et les dépressions de sa mère comme elle l'avait soulagée en prenant l'enfant qu'elle se sentait incapable d'élever.

J'ai eu plusieurs cas similaires en consultation. Je me souviens particulièrement d'une personne atteinte de dystrophie musculaire qui me racontait comment avait débuté sa maladie. Durant une des nuits où sa petite fille de deux ans était en crise d'asthme, elle crut que la petite allait mourir. Elle s'écria alors dans ses pleurs: «Mon Dieu prend ma santé et donne-la lui.» C'est après cette nuit qu'elle commença à être malade jusqu'à développer de la dystrophie musculaire. Dieu lui avait-il vraiment retiré sa santé pour la donner à sa fille? Non, c'était sa propre croyance qui agissait par le biais de son subconscient. Elle me disait: «Plus ma fille se porte bien plus je dépéris.» Cette personne voulait comprendre, mais non guérir car elle croyait que si elle guérissait peut-être que sa fille mourrait.

Que de personnes se font de la peine, se troublent ou se rendent malades lorsqu'un être qui leur est cher, souffre. Est-ce que cela peut aider la personne qui souffre? Nullement. Pire, la personne qui souffre doit vivre avec sa propre souffrance, et la souffrance des autres autour d'elle.

Mariette avait-elle pu retirer la peine et les dépressions de sa mère? Nullement. Mais elle risquait de les amplifier, parce que sa mère aurait pu penser qu'elle était responsable des dépressions de sa fille par l'influence qu'elle lui avait donnée.

Un noyé ne peut secourir un autre noyé. Il faut être fort soi-même pour en aider un autre qui est affaibli. S'affaiblir parce qu'il est affaibli est absolument inutile.

Certaines personnes se privent de s'offrir ce qu'elles désirent parce que leur entourage ne peut se l'offrir. Encore une fois cela n'aide personne. D'autres donnent ce qu'elles souhaiteraient pour elles-mêmes. Elles vont dans des magasins de cadeaux acheter pour une amie ou une belle-mère un objet qu'elles apprécieraient tant. C'est le genre de personne à réserver ses plus beaux couverts, sa plus belle lingerie pour les invités envers qui elle agira en servante. Si au moins elle se traitait en invitée chez elle!

Traite-toi, à partir d'aujourd'hui, comme tu traiterais ta ou ton meilleur(e) ami(e).

Lorsque tu te dis des choses qui ne sont pas très élogieuses, demande-toi: «Est-ce que je dirais cela à ma meilleure amie?»

L'exercice que je te propose de faire à ce stade est de te dire avant de prendre quelque décision que ce soit:

SI JE M'AIME

Si je m'aime, vais-je m'offrir ce manteau-ci ou celui-là?

Si je m'aime, vais-je accepter ou refuser?

Si je m'aime, vais-je travailler toute la journée du samedi ou m'offrir une partie de golf ou du bon temps avec ma famille?

Rappelle-toi cependant que s'aimer c'est penser à soi sans oublier les autres car si tu ne tiens pas compte des autres, ton bonheur ne sera que très bref. Apprends toutefois à affirmer tes besoins dans l'amour sans avoir à les revendiquer dans la colère ou les quémander dans la peine.

La troisième étape consiste à ne pas attendre le bonheur des autres.

Un très beau texte de Charles E. Plourde répond à la question «Où est le bonheur?»

Si tu ne trouves pas le Bonheur,

C'est peut-être que tu le cherches ailleurs,

Ailleurs que dans tes souliers...

Ailleurs que dans ton foyer.

Selon toi, les autres sont plus heureux,

Mais, toi, tu ne vis pas chez eux...

Tu oublies que chacun a ses tracas,

Tu n'aimerais sûrement pas mieux son cas.

Comment peux-tu aimer la vie:

- Si ton coeur est plein d'envie?

- Si tu ne t'aimes pas?

- Si tu ne t'acceptes pas?

Le plus grand obstacle au Bonheur, sans doute,

C'est de rêver d'un Bonheur trop grand,

Sachons cueillir le Bonheur au compte-gouttes,

Ce sont les petites gouttes qui font les océans.

Ne cherchons pas le Bonheur dans nos souvenirs;

Ne le cherchons pas non plus dans l'avenir,

CHERCHONS LE BONHEUR DANS LE PRÉSENT,

C'est là et là seulement qu'il nous attend.

Le bonheur ce n'est pas un objet

Que l'on peut trouver quelque part hors de nous.

Le Bonheur, ce n'est qu'un projet qui part de nous

Et se réalise en nous.

Il n'existe pas de marchand de Bonheur.

Il n'existe pas de machine à Bonheur.

Il existe des gens qui croient au Bonheur.

Ce sont des gens qui font eux-mêmes leur Bonheur.

Si dans votre miroir votre figure vous déplait,

À quoi ça sert de briser le miroir...?

Ce n'est pas lui qu'il faut casser!

C'est vous qu'il faut changer.

Chaque fois que tu espères, que tu rêves ou que tu attends l'élément qui peut contribuer à ton bonheur, tu es à côté de la voie qui conduit au bonheur. Que de fois tu as dit: «Si j'avais de l'argent je ferais telle chose à laquelle j'aspire tant.» Une amie me disait:

«Lorsque j'aurai, dans ma vie, l'homme que j'attends, j'arrêterai de fumer.» Elle fume toujours. Une autre: «Quand mon mari aura sa promotion, j'arrêterai de travailler.» Elle travaille toujours. Attentes, attentes et pendant ce temps la vie passe et on se lève un bon matin avec le sentiment d'être passé à côté de sa vie, de survivre au lieu de vivre. Pour une grande majorité, l'équation: AVOIR - FAIRE et ÊTRE est leur loi de base. Alors qu'en réalité vivre c'est ÊTRE - FAIRE - AVOIR. Pendant que nous attendons d'avoir, nous ne faisons rien et nous n'atteignons rien. Mais lorsque l'on décide d'être, on agit et l'avoir vient.

Un jour j'écrivais un atelier sur «Le couple en évolution» et mes amies me disaient: «Comment peux-tu écrire un atelier sur le couple en évolution? Tu ne le vis même pas toi-même.» Je leur ai répondu: «C'est en l'écrivant que je le vivrai.» Peu de temps après avoir débuté la rédaction de cet atelier, j'ai rencontré l'être avec lequel j'ai vraiment vécu le couple en évolution.

Lorsque j'ai voulu ouvrir le Centre d'Harmonisation Intérieure à Montréal, je n'avais pas un sou. Et comme je n'avais pratiquement rien gagné durant les trois années précédentes, je ne pouvais espérer aucune allocation de crédit de la part des banques. Encore une fois j'ai utilisé la loi du ÊTRE - FAIRE - AVOIR. J'ai cherché le lieu où je voulais installer ce centre. Quand je l'ai trouvé, j'ai enregistré ma raison sociale à cet endroit bien que je n'aie pas encore rencontré le responsable du local à louer. J'agissais comme si ce que je voulais était en route sans me préoccuper d'où viendrait l'argent nécessaire. Deux semaines plus tard, je rencontrais un homme qui avait suivi mes ateliers. Il m'a fait confiance et a accepté de m'endosser à la banque pour le montant dont j'avais besoin pour installer le centre. Un mois après j'ouvrais le centre à cet endroit. Quel avait été mon risque dans cet action? 15,00$, le prix de la raison sociale.

Une maxime bien connue dit: «Qui ne risque rien n'a rien.»

Veux-tu être un gagnant ou un perdant?

Le gagnant agit.

Le perdant subit.

Le gagnant voit une solution à chaque problème.

Le perdant voit un problème à chaque solution.

Le gagnant pense comment il peut aider les autres.

Le perdant pense que les autres lui prendront quelque chose.

Le gagnant dit: «Ce n'est pas facile, mais c'est possible.»

Le perdant dit: «C'est peut-être possible mais c'est trop difficile.»

Le gagnant a souvent des idées.

Le perdant a souvent des excuses.

Le gagnant est ouvert.

Le perdant est fermé.

Le gagnant prend des risques.

Le perdant prend des précautions.

Le gagnant cultive la foi.

Le perdant cultive la peur.

Si on a peur de souffrir, on a aussi peur de vivre et c'est là que l'on devient un mort vivant. Attendre le bonheur des autres c'est remettre notre bonheur entre leurs mains.

Imagine que tu as besoin d'un médicament essentiel à ta survie et que tu le confies à ton conjoint. Dans quel état seras-tu si un jour il ne rentre pas à l'heure prévue, ou s'il lui arrive quelque chose, ou s'il t'oublie ou s'il décède? Ce serait à coup sûr ta mort. Mais si tu conserves ce médicament, quoi qu'il arrive à ton conjoint, ta vie n'est pas menacée. Plusieurs personnes n'ont pas encore coupé le cordon ombilical, mais l'ont transféré à une autre personne, recréant ainsi un lien de dépendance envers cette personne. C'est pourquoi elles seront prêtes à faire n'importe quoi pour que ce lien perdure. Si ce lien se rompt, elles ont l'impression qu'elles ne peuvent plus vivre; un peu comme l'enfant qui dépend entièrement de sa mère pour sa survie.

Lorsque l'on vit une dépendance, on s'attire un dépendant comme nous. La plupart du temps ces dépendances sont différentes mais elles se complètent.

Elle est dépendante au plan financier;

il est dépendant au plan affectif.

Elle est dépendante au plan de la santé;

il est dépendant du bonheur des autres.

Elle est dépendante de ses enfants;

il est dépendant de sa mère, etc.

D'où l'importance de développer sa propre indépendance, sinon en faisant porter notre charge à un autre, nous prenons sa charge en retour et cela risque d'être lourd à porter.

À partir d'aujoud'hui, assume l'entière responsabilité de ton bonheur en acceptant:

- qu'aucun Prince charmant ou Belle au bois dormant ne viendra combler les souhaits de ton coeur;

- que ta réussite ne dépend que de toi;

- que tu n'as pas besoin de plaire à tout le monde;

- que tu n'as pas besoin de l'approbation des autres pour agir ou être satisfait de toi-même;

- que tu as le droit d'avancer même si les autres ne veulent pas bouger;

- que ce que tu as ou ce que tu es n'enlève rien aux autres;

- que de te faire de la peine ou du mal ne peut nullement alléger les difficultés ou les souffrances des autres;

- que les autres sont les seuls responsables de leur bonheur, ce qui implique que quoique tu fasses, tu ne pourras jamais rendre heureuse une personne qui ne veut pas l'être;

- que les autres ont le droit de ne pas toujours être en forme;

- que les autres peuvent vivre des émotions sans que cela te concerne;

- que détruire ta vie ne peut racheter une faute commise;

- que de t'empêcher de vivre ne peut redonner la vie à une personne qui est décédée;

- que les autres peuvent être, penser ou agir différemment de toi; ce qui importe c'est ce que tu es, toi, et ce que tu penses de toi.

Souviens-toi que tu seras aimé que dans la mesure que tu t'aimes toi-même.

Sois fier de toi. Avance là où tu veux aller. Donne-toi ce que tu désires. Fais de chaque instant de ta vie une réussite dans la joie, l'émerveillement et la paix. Ainsi, tu avanceras sur la voie du vrai bonheur. L'autre ou les autres sont un dessert. Quand tu es bien nourri, tu ne laisses personne te manipuler pour un dessert et tu ne le dévores pas comme un affamé; quand tu l'obtiens, tu es libre de choisir le dessert que tu désires ou même de ne pas en vouloir. Si toutefois tu en choisis un, comme tu n'es pas affamé, tu prends le temps de le savourer.

Voilà les bases mêmes qui t'assureront de vivre en harmonie avec l'autre. Sans ces bases tu te retrouveras toujours dans des relations parents-enfants, dominant-dominé, possédé-rejeté et encore. C'est ce que nous verrons dans la prochaine partie de ce volume.

DEUXIÈME PARTIE

VIVRE EN HARMONIE AVEC L'AUTRE OU MIEUX VIVRE À DEUX

CHAPITRE VII

POURQUOI CHOISIR DE VIVRE EN COUPLE?

En chaque être humain est placé un désir de fusion qui peut se définir comme l'attraction du YIN et YANG ou du masculin et du féminin, exprimée dans le désir sexuel. Cependant, comme l'être humain a été créé libre, certaines personnes peuvent freiner ce désir et choisir de vivre seule, par exemple: les prêtres, les frères, les religieuses, les moines, etc. Néanmoins, le désir ou l'attraction sont toujours présents. C'est ce qu'ils auront à surmonter en choisissant de prononcer le voeu de chasteté. On peut aussi vivre le célibat et se contenter de partenaires d'occasion sans adhérer à une union stable. Il n'en demeure pas moins que la plupart des gens sont attirés vers une vie de couple. Cependant, être attiré inconsciemment et le choisir consciemment sont deux choses très différentes.

Je peux être attiré par l'alcool pour différentes raisons, soit par besoin de fuir ma réalité, remplir un vide intérieur, etc. Mais si je choisis consciemment de prendre de l'alcool, je peux aussi choisir quelle sorte de vin ou de bière je veux boire et dans quelle proportion. J'utilise à ce moment **mon pouvoir de décision** sur ma vie et ses conséquences. On voit ici la différence entre une impulsion et un choix.

Seul l'être humain a cette capacité de choisir consciemment; les animaux suivent leurs impulsions. Lorsque nous suivons seulement nos impulsions, que ce soit dans la nourriture, l'alcool ou dans la sexualité, nous ne sommes pas très loin de l'animalité. Dans le choix d'un partenaire, si seule l'impulsion te propulse, tu risques après un certain temps de vivre des déceptions et des frustrations.

Vivre en couple, c'est investir une partie de sa vie, de son énergie et de son bonheur. Quelquefois, notre temps de réflexion s'avère plus court que pour l'achat d'un instrument de musique ou

131

d'une marque de parfum. On l'aime et ça suffit. L'Amour règlera tout. L'Amour est fragile quand sa base n'est pas suffisamment solide pour le soutenir. Quelle est cette base solide qui permet à l'amour de grandir entre deux êtres? Quelle est cette force essentielle permettant à chacun d'avancer dans la réalisation de lui-même? Je te suggère quelques questions qui peuvent t'aider à prendre conscience des comportements à développer si tu envisages une vie de couple en évolution.

PREMIÈRE ÉTAPE: DÉFINIS TES ATTENTES?

Pourquoi veux-tu avoir un conjoint?

Est-ce pour combler ta solitude? Voilà la meilleure façon de t'attirer quelqu'un qui ne sera jamais là ou qui se montrera indifférent à toi.

Est-ce pour être plus libre? Nombre de filles ont voulu quitter l'autorité de leur père ou de leur mère et se sont retrouvées avec un véritable dictateur.

Est-ce pour avoir quelqu'un qui t'encourage dans une entreprise ou une carrière? Tu risques de rencontrer la personne qui va te dévaloriser et qui t'enlèvera le peu de confiance que tu avais déjà.

Est-ce pour connaître plus d'aisance financière? Tu risques d'avoir à travailler en double en plus de te faire reprocher la moindre dépense.

Est-ce pour avoir quelqu'un qui prenne soin de toi? Tu risques de t'attirer un partenaire qui t'ignorera complètement ou bien qui t'étouffera de sa surprotection.

La façon la plus certaine d'avoir ce que tu désires est de te le donner, de te l'apporter.

DEUXIÈME ÉTAPE:
IDENTIFIE LES ILLUSIONS QUE TU ENTRE-
TIENS AU SUJET D'UNE VIE DE COUPLE.

L'illusion du Prince charmant, de l'âme soeur ou du conjoint idéal.

Certaines personnes pensent qu'une âme soeur les attend quelque part. D'autres pensent qu'il est facile d'aimer, mais qu'il est difficile de trouver la bonne personne à aimer.

L'illusion de croire que l'autre va nous rendre heureux.

Une grande majorité de personnes cherchent davantage à être aimées qu'à aimer. Elles diront: «Il m'aime tellement tu sais, il ferait tout pour moi», sans se demander: «Est-ce que je l'aime?» Après un certain temps elles se disent: «Comment ai-je fait pour l'aimer?» En fait, elles se sont laissé acheter par de belles paroles, des fleurs et toute une montagne d'illusions. Ces artifices peuvent nous faire croire que c'est cela l'amour et le bonheur. Les désillusions suivent rapidement. Nous sommes les seuls responsables de notre bonheur. Nous pouvons cependant le partager avec l'autre ou d'autres.

L'illusion de coire que l'amour que l'on voue à une personne pourra la transformer.

Seule la personne qui veut changer peut changer. On ne peut changer personne d'autre que soi. Lorsqu'une personne doute de sa propre valeur elle fuit celles qu'elle considère trop bien pour elle. Par contre elle en choisit une qui manque d'assurance ou de confiance en soi et tente de la transformer en lui disant inconsciemment: «Deviens la personne que je rêve d'épouser ou que j'aurais aimé épouser». Que d'énergies perdues! Finalement on quitte cette personne qui ne répond pas à nos attentes et aspirations pour en retrouver une autre semblable.

L'illusion de croire qu'en vivant en couple l'autre t'appartiendra.

Beaucoup de personnes croient que l'union par le mariage établit que l'autre nous appartient. Personne, n'appartient qu'à lui-même.

133

L'illusion de croire que la vie de couple comblera tous tes vides affectifs.

Un homme me confiait qu'il croyait, qu'étant marié, il serait comblé dans ses besoins sexuels n'ayant plus à faire tant de pirouettes et de gentillesses pour amener une femme dans son lit. Il a épousé une ex-religieuse qui avait horreur de la sexualité.

L'illusion de croire que les enfants rapprochent le couple.

Lorsque deux partenaires partagent un même toit, cela implique certains compromis. Ce n'est pas l'addition d'une troisième personne qui les réduiront.

L'illusion de croire que l'autre va nous aider à réaliser nos rêves.

«Si je pouvais me trouver un homme qui a de l'argent ou qui a un bon métier, je pourrais arrêter de travailler.»

«Si je pouvais me trouver une femme qui gagne un bon salaire, je pourrais poursuivre mes études...»

La meilleure façon de réaliser ses rêves, c'est d'arrêter de rêver et de passer à l'action.

TROISIÈME ÉTAPE: QUELS SONT LES MODÈLES DE PENSÉE QUE TU AS REÇUS AU SUJET DE LA VIE DE COUPLE?

Comment était la relation de couple de tes parents?

Lorsque j'étais enfant, ma mère, qui était veuve, avait des correspondants. Les trois oncles qui étaient le plus près de moi entretenaient des relations extra-conjugales. Une de mes tantes était victime (selon les termes de ma grand-mère) d'une voleuse de mari. Voilà l'environnement dans lequel j'ai grandi.

J'avais une bonne amie dont le père et la mère étaient très unis. Je trouvais ce couple tellement beau à voir. Mais je pensais: «C'est pas pour moi.» Plus tard, dans ma vie, je voulais croire à une vie de couple en harmonie mais intérieurement, je pensais: «C'est pas pour moi.» C'est ce qui explique que même si j'aidais les couples à vivre en plus grande harmonie, moi je ne réussissais pas. Le jour où j'ai connu une merveilleuse relation de couple, elle ne dura pas. Mon partenaire opta pour la vie religieuse. Voilà le pouvoir de ces vieux schémas que l'on reproduit depuis notre enfance. Une étude démontre sans équivoque que les personnes ayant eu des parents heureux et unis ont plus de chance d'être heureuses dans leur vie de couple que les enfants provenant d'unions brisées. C'est fort probablement à cause de ces modèles négatifs, que nous avons acceptés face à une relation de couple lorsque nous étions enfants, que nous reproduisons ces mêmes schémas.

EXERCICE

Identifie quelques dictons que ton entourage disait ou pensait au sujet du mariage ou de la vie à deux.

• Se mettre la corde au cou.

• Ne fais pas la bêtise de te marier.

• Profites-en pendant que tu es célibataire.

• Les fiançailles c'est le meilleur temps; après le mariage fini le bon temps.

• Qui prend mari prend pays.

• Le mariage est une galère.

• Le mariage est une prison.

• Le mariage c'est un coup de dés.

Ne se mariait-on pas pour le meilleur ou le pire? N'étions-nous pas la douce moitié de l'autre? Comment changer ces vieux schémas et développer une attitude positive face à une vie de couple? En comprenant le but même de la loi d'attraction.

Cette loi, qui prévaut dans tous les règnes, vise à l'unification et à la multiplication de la force qui en résulte. Sans pôles positif et négatif, aucune batterie, aussi faible soit-elle, ne pourrait exister. Sans l'union des gamètes mâle et femelle, aucune procréation ne serait possible. Cette loi vise donc l'unité. C'est de la force qui en résulte que naît la création.

Comme nous attirons, la grande majorité du temps, la personne qui nous est complémentaire, c'est là une excellente façon de se découvrir et de s'améliorer. L'autre est le miroir dans lequel sont réfléchis nos propres pensées, doutes, peurs, critiques. Il est un point de repère sur la route de notre évolution. Même en restant célibataire, les autres sont un point de repère pour nous. On peut cependant choisir de passer à côté ou choisir de les écarter de notre route. Cependant, lorsqu'une personne partage le même toit que nous, il devient plus difficile de l'éviter. Ce que l'on veut cacher apparaît alors au grand jour. Un célibataire peut accomplir des actions égoïstes ou être centré sur lui-même dans toutes ses activités, tout en se sentant justifié d'agir ainsi; mais lorsqu'une autre personne entre en scène, l'égoïsme ou l'égocentrisme apparaissent sous un jour nouveau.

La vie en couple n'est pas un havre de repos, mais une ascension à deux. S'asseoir n'implique que peu d'efforts; monter en implique beaucoup. Cette montée peut se faire dans la joie et le partage, tout comme elle peut se faire dans un nombre incalculable de compromis et de déchirures.

Si tu peux accepter que la vie à deux est comparable à une ascension vers un sommet qui fait de toi et de ton partenaire des alpinistes ayant besoin l'un de l'autre, tu accepteras plus facilement les efforts que cela implique. Et tu garderas les pieds sur terre au lieu d'avoir la tête dans les nuages. Si les efforts qu'impliquent cette ascension ne t'intéressent pas, alors renonces-y. Car l'entreprendre serait un échec en partant.

Si tu choisis de l'entreprendre, voici les consignes que je te propose pour obtenir le succès:

a) **Choisir un partenaire**

Choisis bien le partenaire avec lequel tu veux faire cette ascension. (S'il est déjà présent dans ta vie, passe à la seconde étape). Assure-toi que le partenaire que tu choisis est intéressé par cette ascension. Le pousser à vouloir monter, le menacer ou tenter de l'acheter ne vous amènerait pas très loin.

b) **Définir des objectifs communs**

Il vous faudra décider ensemble du sommet à atteindre et de la façon de l'atteindre. Imagine que vous visiez des sommets différents. Qui voudra mettre les efforts pour atteindre le sommet de l'autre?

c) **Évaluer ses forces et ses faiblesses**

Tu devras être fort toi-même pour aider ton partenaire. Imagine un couple d'alpinistes qui part à la conquête d'un sommet et que l'un des deux, par sa faiblesse et ses carences, dépende de l'autre. Quand le plus faible a épuisé ses forces, le plus fort doit le porter et il s'épuise à son tour. Il est alors placé devant deux choix: continuer la route seul ou redescendre avec son partenaire trop faible pour monter.

d) **S'entraider**

Une équipe collabore. Si l'un des coéquipiers faiblit, l'autre s'affaiblira aussi. L'un devra être très solide lorsque l'autre prendra un risque. Donc, il l'encouragera continuellement.

e) **Développer une confiance mutuelle**

Il vous faudra avoir une totale confiance l'un envers l'autre. Sans cette confiance totale, aucune montée n'est possible; la peur vous paralyserait.

f) **Communiquer**

Un mot peut être d'une suprême importance dans des moments cruciaux. Une communication claire et précise permet d'éviter bien des malentendus.

g) **Savoir résoudre les problèmes et les conflits**

Aucun couple partageant une intimité et des difficultés n'est à l'abri des problèmes et des conflits qui peuvent surveni. Il te faudra savoir comment affronter l'orage pour ne pas perdre l'équilibre.

h) **Vivre au présent**

Vivre le moment présent en gardant en tête le sommet à atteindre car regarder en arrière pourrait faire naître des regrets et des peurs.

i) **S'amuser**

Plus vous ferez cette montée dans la joie et le plaisir d'être ensemble, plus l'ascension vous semblera facile et agréable.

Quand vous aurez atteint votre sommet, les autres auront envie de suivre vos traces. Partons donc ensemble vers cette destination «Bonheur et Réalisation de soi à deux». Je me ferai un plaisir d'être votre guide dans cette ascension.

CHAPITRE VIII

COMMENT ATTIRER LE PARTENAIRE IDÉAL?

QUEL EST LE PARTENAIRE AVEC LEQUEL
TU VEUX FAIRE CETTE ASCENSION?

Lorsque l'on veut se faire construire une maison, on regarde son budget, la somme que l'on veut investir. Nous prenons le temps de choisir le plan, le terrain et les matériaux qui répondront le plus à nos aspirations. Notre souhait est que cette maison soit solide, confortable et agréable à vivre afin que nous l'habitions en toute confiance.

Pourquoi ne pas prendre les mêmes précautions lorsqu'il s'agit de bâtir une vie à deux?

Le grand philosophe Lao Tseu disait: «Qui connaît les autres est savant. Qui se connaît est sage.»

Si je suis très peu sportive, que le sport m'intéresse très peu, à quoi bon choisir un mordu du sport? Si j'ai besoin d'être sentimentale à certains moments, à quoi bon choisir un partenaire qui considère la sentimentalité comme stupide et ridicule? Je risque de me sentir blessée dans mes besoins et de l'accuser de ne pas me comprendre.

Si je souhaite plus que tout au monde fonder une famille et que le partenaire que je fréquente ne veut pas avoir d'enfants, parce que son désir est de voyager et qu'il considère les enfants comme un fardeau, à quoi bon investir autant d'énergie à vouloir le faire changer d'idée ou pour renoncer à mes aspirations? C'est une lutte perdue d'avance.

Pour t'aider à te découvrir, je te suggère l'exercice suivant. Fais une liste indiquant qui tu es, tes intérêts, tes besoins et tes aspirations les plus chères.

Voici quelques exemples:

- Tu es une personne qui réussit bien dans la vie.
- Tu es financièrement autonome.
- Tu es du type visuel (les détails sont importants pour toi).
- Tu aimes le calme, la nature, les feux de foyer.
- Tu aimes rire, chanter, être seule à certains moments, entourée à d'autres (ce qui explique ta nature changeante).
- Tu t'intéresses à la psychologie, à la sociologie, à la paix dans le monde.
- Tes aspirations les plus chères sont d'atteindre la pleine réalisation de soi par un plus grand éveil de ta spiritualité.

Imaginons que tu rencontres un homme dépendant financièrement, pour qui les détails n'ont aucune importance, qui laisse tout traîner dans la maison, qui adore la musique forte, qui n'aime pas être dérangé dans ses habitudes de vie, qui croit que la seule façon de vivre en paix est de détruire tous les capitalistes pour installer un régime communiste et qui ridiculise tout ce qui tourne autour de la spiritualité. Combien de temps crois-tu que ce couple va durer? Il y a de très fortes chances que l'un fasse tout pour changer l'autre comme celui-ci fera tout pour y résister. Ce sera une union dès plus destructrices pour toi et pour ce partenaire.

La peur de la solitude ou du rejet nous fait parfois oublier nos objectifs de départ et nous amène à nous contenter aujourd'hui de ce que nous rejetterons demain. Tu auras toujours la personne que tu crois que tu vaux. L'atout majeur est la confiance: en toi, aux autres et aux événements. C'est cette confiance qui te permettra de t'ouvrir à de nouvelles situations.

La rencontre de France

France est très jolie. Infirmière de profession, appréciée par son entourage, elle est invitée chez Diane qui donne une réception. Comme elle est seule, on lui présente Etienne, jeune, beau et brillant avocat. France pense: «Il est bien trop bien pour moi.» Et comme elle craint de ne pas être à sa hauteur et de vivre un rejet, elle préfère l'ignorer et le fuir plûtot que de s'admettre qu'il lui plaît. Peut-être choisira-t-elle un homme envers qui elle se sentira supérieure mais qu'elle souhaitera changer pour qu'il devienne au moins son égal!

Dresse maintenant une liste de caractéristiques concernant le partenaire avec lequel tu souhaites entreprendre l'ascension vers un sommet.

SOIT:

son âge
sa grandeur
son poids
sa couleur de cheveux
sa peau (race)
son allure (sportif, intellectuel, homme d'affaires, etc.)

SES CARACTÉRISTIQUES PERSONNELLES:

EXEMPLES:

intelligent
bon
généreux
avec le sens de l'humour
honnête
profond
simple
ayant le sens de l'organisation
aimant l'ordre
bon cuisinier
flexible
libre de toutes dépendances passées ou présentes
non fumeur, non buveur, etc.
Ses goûts et intérêts:
Exemples:
aime les enfants
aime les réceptions d'amis
aime la danse
aime la nature, surtout la montagne
aime le ski, la randonnée pédestre
aime les conversations devant un bon feu ou dans un bain à deux

désire faire de sa vie de couple une réussite

cherche continuellement à s'améliorer

s'intéresse aux sports, à la politique, ou à la psychologie etc.

Garde cette liste cachée et secrète. Établis des priorités et marque-les d'un A. Et lors de tes rencontres, rappelle-toi ces priorités afin de reconnaître ce partenaire idéal pour toi. Tu peux y ajouter une date soit avant le: **mois** et **année.** Cette date devra être assez réaliste pour que tu puisses y croire. Puis, remercie les guides de lumières ou l'Énergie divine qui favorisent cette rencontre. Prépare la place pour l'accueillir.

Si tu gardes une liaison stagnante, en attendant de le rencontrer, la place n'est pas libre.

Si tu en veux à un ex-conjoint d'être parti, la place n'est pas libre. Si tu t'accroches à des souvenirs passés (mari décédé ou parti), la place n'est pas libre.

Si tu espères le retour d'une autre personne que tu aimais, la place n'est pas libre.

Si tu attends le départ d'une personne ou la fin d'une liaison, la place n'est pas libre.

Prépare-lui une place dans ton coeur comme tu prépares ta maison pour accueillir quelqu'un de très important pour toi. Plusieurs personnes m'ont confié avoir décrit sommairement la personne qui est devenue leur conjoint avant même de le connaître.

Un homme avait découpé dans une revue une photo du style de femme qu'il souhaitait. Il attira à lui une femme très semblable physiquement. Il réalisa cependant qu'il avait oublié de décrire les traits de caractère qu'il souhaitait chez cette femme. Son caractère ne lui convenait pas.

Ce travail d'identification de soi, de ses désirs, intérêts et souhaits face à un partenaire est ce qui t'es demandé dans une agence de rencontre sérieuse. Tu peux confier cette recherche à une maison spécialisée, mais personne mieux que toi ne peux procéder à cette sélection. Si de plus, tu fais confiance à tes guides de lumière, ils peuvent t'aider dans cette recherche.

Rappelle-toi cependant que le choix est vaste et que «partenaire idéal» ne veut pas dire «partenaire parfait.» Il sera idéal pour t'aider dans ton évolution. Comme toutes les personnes que tu as rencontrées jusqu'à ce jour étaient là pour te faire évoluer, toi, tu étais là pour jouer le même rôle.

CHAPITRE IX

POURQUOI SOMMES-NOUS ATTIRÉS OU ATTIRONS-NOUS TEL TYPE DE PERSONNES?

Chaque personne, par le biais de ses pensées, ses sentiments et ses émotions émet des vibrations qui entrent en résonance avec des vibrations correspondantes ou contraires. Que l'on se sente attiré par un type de personnalité plutôt qu'un autre est un phénomène relié à la loi de la résonance.

Nous possédons tous deux pôles d'attraction: l'un «YIN» (féminin-négatif) et l'autre «YANG» (masculin-positif). Tout comme un pôle négatif attire un pôle positif; deux pôles semblables se repoussent.

Une grave erreur s'est glissée concernant l'identification des deux pôles d'énergie. On associe le «YIN» presque exclusivement au sexe féminin et le «YANG» au sexe masculin. Très tôt, l'enfant est conditionné par cette association. S'il s'agit d'un garçon, il aura des vêtements, des jouets, des jeux et un nom masculins. Son éducation renforcera cette notion. On lui dira: «Un garçon c'est fort, ça pleure pas, ça fait des choses d'homme.» La petite fille sera conditionnée à être douce, délicate, à aimer les broderies, les dentelles, etc.

Notre vrai moi est à la fois «YIN» et «YANG». Si je renonce à l'un au profit de l'autre, un conflit intérieur peut en résulter et m'amener de la difficulté à m'accepter. On peut très bien être une femme et avoir une très forte énergie «YANG» ou vice versa. Par le passé, une fille, chez qui dominaient des aspects «YANG», était souvent qualifiée de «garçon manqué». Quant au garçon, la prédominance des aspects «YIN» était un affront à la «SACRO-SAINTE-MASCULINITÉ». Il lui fallait être dur, insensible, courageux et offensif. Le père devait se charger de faire un homme de son fils. François, un garçon sensible, a été contraint de tuer le chien qu'il aimait parce que son père craignait qu'il devienne homosexuel. Il croyait qu'en l'endurcissant, François développerait davantage les caractéristiques masculines. À cause de cette influence, François vit un conflit intérieur issu de l'opposition entre sa vraie nature et celle qu'il croyait devoir adopter pour être aimé. Certains ont été battus, rejetés ou ridiculisés à cause de l'identification de cette énergie «YIN et YANG» à un sexe en particulier.

Prenons le cas d'une femme, physiquement très «YIN», c'est-à-dire très féminine, bien découpée, avec des traits délicats mais présentant une personnalité très «YANG», c'est-à-dire possédant un esprit dominateur, décisif, et une nature active. Elle attirera des hommes physiquement très «YANG», mais dont la personnalité comportera des aspects très «YIN», c'est-à-dire passivité, réceptivité, introspection. Lorsqu'elle rencontre ce type d'homme, elle admire au début son calme, sa sagesse, sa réflexion avant l'action. Lui de son côté admire son esprit de décision, son leadership.

Après un certain temps, que se passera-t-il si notre couple ne comprend pas la loi de la polarité? Elle voudra qu'il développe son leadership, qu'il ait de l'audace, qu'il cesse de penser et qu'il agisse. Lui de son côté, en aura par-dessus la tête de se faire dire quoi faire ou ce qu'il ne doit pas faire. Et plus elle voudra qu'il change moins elle y arrivera. Ce sera sa façon à lui de résister passivement. Il y a davantage de chances que ce soit elle qui le quitte, car selon son tempérament, elle passe à l'action et lui la subit. Que leur adviendra-t-il? Elle rencontrera à nouveau un homme «YIN» et lui une femme «YANG», et ce, aussi longtemps qu'ils ne comprendront pas ce qu'ils ont à apprendre l'un de l'autre, ce qu'ils peuvent s'apporter mutuellement. Il en va de même pour les couples homosexuels. (On pourra revoir à ce sujet «Comprendre l'homosexualité» dans mon premier volume «Participer à l'Univers...»). L'un doit s'efforcer de prendre exemple sur l'autre pour développer ce qu'il admire chez l'autre. Ainsi chacun pourra équilibrer ses caractéristiques «YIN et YANG».

Dans la prochaine ère du Verseau, les êtres humains auront à développer leur caractère androgyne, soit la complémentarité des énergies «YIN et YANG» ou de féminin-masculin; car l'harmonie et la réalisation de soi naissent de ces deux énergies. Voilà pourquoi on retrouve de plus en plus de femmes de carrière ou chefs d'entreprises et d'hommes qui pouponnent leurs bébés; phénomène plus rare chez les générations précédentes.

Notre cerveau est la représentation parfaite de la complémentarité des énergies «YIN et YANG». Il est divisé en deux hémisphères: le gauche qui correspond à mon aspect rationnel ou «YANG» et le droit qui correspond à mon aspect non rationnel ou «YIN». Ils se complètent pour multiplier les possibilités du cerveau de l'être humain.

Le Docteur Raymond Lafontaine, neurologue à l'Hôpital Ste-Justine de Montréal, s'interrogeait à savoir pourquoi certains enfants réagissent de telle manière lors de l'auscultation, alors que d'autres se comportent de manière totalement opposée. Ses recherches l'amenèrent à développer la théorie des visuels et des auditifs, appelée le Principe de Lafontaine.

Identifions les comportements visuels et auditifs pour mieux nous connaître et comprendre notre partenaire. Car si je suis visuel, il y a de très fortes chances que mon partenaire soit auditif. Toutefois un adulte n'est jamais auditif ou visuel à cent pour cent. Il peut très bien, par ses expériences, être devenu un auditif dévié ou un visuel adapté. Aussi est-il important de se rappeler nos attitudes d'enfant, car l'enfant est plus près de sa vraie nature.

Le bébé visuel, c'est celui qu'il faut transporter avec soi lorsque l'on change de pièce; celui qui pleure la nuit pour vérifer si vous êtes toujours là. Il est très sensible au son de la voix. Si vous le grondez, il se mettra à pleurer avant même d'avoir compris le message. Il est également sensible à l'expression du visage et à tout ce qu'il voit. C'est pourquoi il pourra se mettre à hurler en voyant le Père Noël ou des gens masqués à l'Halloween.

L'enfant auditif est le bébé que l'on considère facile puisque les simples bruits de la maison le rassurent. Il passe des heures à babiller dans son berceau. Il dort bien et ne réclame votre présence

147

que lorsqu'il en a besoin. Chez l'enfant auditif le message verbal passera indépendamment du ton ou de l'intensité de la voix.

Lorsqu'un visuel parle à son partenaire ou à une autre personne, si cette dernière ne le regarde pas, il a l'impression de ne pas être écouté. Il dira: «Regarde-moi je te parle!» L'auditif répondra: «Parle je t'écoute!»

Pour le visuel, le toucher s'avère le prolongement de son oeil. Devant un écriteau «Ne touchez pas», il sera très difficile à un visuel de résister à la tentation de toucher, alors que l'auditif se contentera de regarder. Si le visuel a besoin de toucher, il est également plus sensible aux touchers. C'est pourquoi il n'accepte pas les caresses aussi facilement. Il est très sélectif face aux personnes pouvant le toucher.

L'auditif n'a pas autant besoin de toucher, mais accepte de bonne grâce les caresses. Dans une relation de couple, très souvent, le partenaire visuel carressera son partenaire auditif dans le but d'être caressé à son tour. Ce dernier se laissera caresser sans pour autant rendre ces caresses, ce qui parfois frustera le partenaire visuel.

Le visuel incarne le mouvement. Il a besoin de bouger et d'agir. Il ne s'arrête pas à savoir si c'est le bon moment ou comment s'y prendre. Il passe à l'action, quitte à corriger ou à aller chercher ce qui lui manque en cours de route. Il peut débuter la construction d'un édifice pour aller chercher le permis après. Pour le visuel, rien ne va assez vite. C'est la personne aux décisions rapides. S'il y a un problème, il faut qu'il le règle sur le champ. Il est porté à chercher des solutions à court terme.

L'auditif est plutôt le maître-penseur. Souvent, il a les idées mais c'est le visuel qui passera à l'action. Quand l'auditif passe à l'action, c'est après mûres réflexions en ayant tous les outils en mains. L'auditif reproche au visuel d'être trop vite et de ne pas prendre le temps de réfléchir. Le visuel reproche à l'auditif d'être trop lent dans ses actions et ses décisions. Si notre couple achète une bibliothèque en sections à remonter par soi-même, l'auditif lira les instructions bien calmement pendant que son partenaire visuel tentera de la remonter en se basant sur l'image de la boîte.

Le visuel entend ce qu'il voit. Devant une émission de télévision ou un film, il passe ses commentaires à haute voix car il n'a pas besoin du son pour comprendre le déroulement de l'histoire, ce qui horripile l'auditif qui, lui, comprend l'histoire d'après ce qu'il entend. Le visuel dit qu'il «regarde» la télévision et l'auditif dit qu'il «écoute» la télévision.

Le visuel est très sensible à l'apparence des choses ou des gens. Elle prime sur le confort. Le visuel reprochera souvent à son partenaire auditif son manque de goût. C'est pourquoi nombre de partenaires visuels achètent les vêtements de leur partenaire auditif et vont même jusqu'à choisir les vêtements qu'il devra porter s'il l'accompagne. Le partenaire auditif, moins sensible à l'apparence des choses, acceptera de bonne grâce en autant que cela n'aille pas à l'encontre de son confort.

La personne auditive a la capacité de se concentrer au point de ne plus rien entendre autour d'elle. Elle peut conduire la voiture sans perdre sa concentration même si les enfants se chamaillent à l'arrière, alors que le visuel en serait incapable. C'est pourquoi une mère visuelle ne peut comprendre que son enfant (auditif) puisse étudier avec de la musique, quand elle-même a besoin d'un silence total pour lire.

Lorsque notre couple discute d'un projet, le partenaire auditif voit le projet dans sa globalité tandis que le visuel s'attarde aux détails. Le visuel c'est le minutieux, l'auditif, le pratique. Le visuel reproche souvent à l'auditif son manque de minutie alors que l'auditif reproche au visuel sa manie de chercher les petites bêtes noires.

Lorsqu'un visuel demande une information pour se rendre à un endroit, s'il n'a pas un petit dessin de la route à suivre, il risque, au second feu de circulation, d'avoir oublié les directives. Les mots doivent former des images pour qu'il les retienne. Sa mémoire est photographique. Aussi n'apprécie-t-il guère les longs discours scientifiques qu'il ne peut rattacher à aucune image connue, alors que l'auditif s'en délecte. C'est pourquoi les longs discours plaisent davantage aux auditifs qui ont une mémoire auditive.

Le visuel est un perfectionniste avec l'obsession du détail. Il veut tellement que tout soit parfait, qu'il lui arrive de se sentir obligé de tout faire par lui-même. L'auditif étant moins obsédé par les détails peut plus facilement déléguer une partie de la tâche.

Le visuel aime plaire. Si quelqu'un qu'il connait bien l'ignore, il pensera: «Qu'est-ce que je lui ai fait?» alors que l'auditif pensera que l'autre est préoccupé et ne l'a pas vu.

Dans une discussion, si le partenaire auditif hausse un peu trop le ton, le partenaire visuel, impressionné par le timbre de voix, sera incapable d'entendre ce qu'il veut lui dire.

Si le visuel a besoin d'un ton chaleureux pour entendre, l'auditif, lui, a besoin d'une explication logique et bien synthétisée. Il s'impatientera devant la quantité de détails de la conversation du visuel.

Le visuel a tendance à interrompre l'interlocuteur afin de ne pas perdre le fil de son idée au risque de paraître impoli. L'auditif, au contraire, attend patiemment que l'interlocuteur ait fini sa phrase sans pour autant perdre l'idée maîtresse.

Aussi, chacun possède sa façon de verbaliser sa pensée.

Le visuel utilise des termes du genre:

- «Est-ce que tu vois ce que je veux dire?»
- «Je ne me vois pas faire un tel travail.»
- «Je commence à voir plus clair.»
- «C'est visible! Ca se voit!»
- «C'est brillant comme idée.»
- «De toute beauté!»
- «Revoyons ensemble tel aspect du problème.»

L'auditif utilise des termes du genre:

- «Comprends-tu ce que je veux dire?»
- «Je ne comprends pas comment on peut arriver à faire un tel travail.»
- «Ca commence à me dire quelque chose.»
- «Ca s'entend!»
- «J'ai ouï-dire que...»
- «Écoute, comme on est bien!»

- «Soyons à l'écoute.»

La programmation-neuro-linguistique (P.N.L.) est allée plus loin en apportant l'aspect kinesthésique. Le kinesthésique est celui qui est très près de ses sentiments, émotions et intuitions. On pourrait le définir comme l'émotif. Il fait confiance à ce qu'il ressent. Il utilisera souvent les mots «je sens», «je sais» ou des termes à connotation émotionnelle du genre:

- «Je me sens étouffé par ce problème.»
- «Je suis écrasé par les dettes.»
- «Je sais qu'il faut que je me cramponne.»
- «J'ai hâte de retrouver la chaleur de mon foyer.»

On peut être à certains moments visuel, à d'autres, auditif, ou kinestésique, mais en général il y a un aspect qui domine. Aussi, plus je serai dans un extrême, plus mon partenaire sera dans l'autre extrême. Plus j'équilibrerai en moi ces aspects visuel, auditif et kinestésique grâce à la présence de mon partenaire, plus lui-même sera amené à les équilibrer.

Si je suis seule, mais que je travaille à équilibrer ces aspects grâce aux gens qui m'entourent, j'attirerai un partenaire qui sera en équilibre dans ces aspects de son être.

Allons un peu plus loin en ce qui concerne la complémentarité des couples afin de comprendre pourquoi nous attirons tel type de partenaires et pourquoi nous sommes attirés vers tel type de personnes.

Si nous attirons toujours le même genre de personnes, il faut en chercher la raison en soi. Les couples se forment par une loi de polarité et de relativité. C'est grâce à cette interaction que le couple peut faire face à ses propres concepts et instincts.

PRENONS LE CAS DE PAUL ET LOUISE.

PAUL A:

- un instinct de domination fort;
- un instinct d'expression fort;
- un instinct de création fort;

- un instinct de conservation faible;
- un instinct grégaire (amour des groupes) faible.

LOUISE, À L'INVERSE A,

- un instinct de domination faible;
- un instinct d'expression faible;
- un instinct de création faible;
- un instinct de conservation fort;
- un instinct grégaire fort.

Que se passera-t-il lors de leur première rencontre? Louise admirera l'audace de Paul, sa manière de diriger les gens, son esprit de décision. C'est de cette façon qu'elle reconnaît son instinct de domination. Elle admirera aussi son habileté à parler devant les groupes et ses talents artistiques. C'est ainsi qu'elle reconnait ses instincts d'expression et de création.

Elle sera cependant étonnée de le voir si peu préoccupé par le futur, et par sa capacité à passer des heures seul à lire ou étudier. Elle-même déteste être seule. Elle a besoin de se sentir continuellement entourée. Paul, de son côté, admire sa réserve et sa quiétude (son instinct de domination est faible). Il est impressionné par ses plans méticuleux pour le futur (instinct de conservation fort). Il voudrait bien être aussi à l'aise qu'elle avec son entourage et se faire des amis aussi facilement (instinct grégaire fort).

Que va-t-il se passer au fil des ans si Paul et Louise ne comprennent pas leurs natures intimes et ne s'y adaptent pas? Louise va se fatiguer de la manie de Paul de vouloir toujours tout décider. Paul finira par être ennuyé de l'attitude tranquille et effacée de Louise. Il ne voudra pas qu'elle sorte tout le temps avec des amis. Il voudra qu'elle reste à la maison même quand il s'enferme dans son bureau pour lire ou faire ses comptes. Louise se plaindra d'être continuellement seule à la maison. Elle prendra en horreur le bureau dans lequel il passe un grande partie de son temps. Paul de son côté, lui reprochera son peu d'intérêt pour la lecture ou un passe-temps créatif.

Ce qui les attirait au début les sépare maintenant. Ce qui était bon et merveilleux est maintenant désagréable, et ce, par une application différente des lois de polarité et de relativité.

La force qui nous pousse à nous unir est cette même force qui nous désunit lorsque nous n'intégrons pas ces notions fondamentales.

Si un couple n'a pas les connaissances suffisantes, les fréquentations ou le mariage se termineront dans la douleur et le chagrin. Pour une grande majorité, ces relations s'avèrent souvent de courte durée, surtout aujoud'hui où l'union libre et la séparation sont bien acceptées de la société.

On peut parfois chercher un partenaire physiquement à l'opposé du précédent: un grand châtain mince au lieu d'un brun bien musclé, mais les concepts internes seront les mêmes. C'est ce qui explique que tant de gens se marient, divorcent, se remarient, divorcent à nouveau, répétant constamment les mêmes scénarios.

Quelle est donc la solution à ce conflit de concepts et d'instincts? Devrions-nous éviter les relations interpersonnelles, renoncer au mariage? Non. Car la vie de couple est un excellent moyen de se faire face à soi-même et de changer pour le mieux. C'est une excellente voie à l'évolution. Cela demande cependant de la compréhension, de la patience et un désir ardent de faire de son union une relation saine où les deux partenaires y trouvent joie, partage et enrichissement.

Il faut être prêt à y mettre des efforts surtout dans le domaine de l'égoïsme et de l'égocentrisme, sinon l'amour véritable ne sera jamais expérimenté ou exprimé dans notre vie. Si ce couple, Paul et Louise, veut s'épanouir, Louise aidera Paul à développer son instinct grégaire et Paul l'aidera à développer son instinct d'expression et de création. Il la laissera prendre des décisions, s'effacera consciemment, imitant son silence et sa réserve pour la laisser s'exprimer à son rythme.

De son côté, elle l'amènera à se joindre à des groupes afin de l'aider à s'ouvrir aux autres. Au fur et à mesure que l'un ou l'autre commence à s'épanouir, l'autre l'encouragera dans ses actions.

Alors, de cette façon, le couple avance réellement et évolue dans la bonne direction.

Que peut-il se passer si un seul des éléments du couple désire changer ou fait des efforts pour développer ses aspects moins développés? La loi de l'évolution agit à travers nous et non par nous. Si ce couple cesse de se ressembler, la personne qui a évolué sera habitée par un profond désir de changement ou sera attirée vers une nouvelle personne lui ressemblant davantage.

Se ressembler ne signifie pas être pareil. Ma main droite ressemble à ma main gauche tout en lui étant complémentaire.

La morale de l'énergie de l'évolution qui agit par la loi d'attraction n'a rien à voir avec la morale humaine.

IDENTIFIE TES INSTINCTS À TOI.

Préfères-tu diriger ou te laisser diriger?

- Si tu préfères diriger, ton instinct de domination est fort.

- Si tu préfères te laisser diriger, ton instinct de domination est faible.

Es-tu une personne qui s'exprime facilement ou qui écoute davantage?

- Si tu t'exprimes facilement, ton instinct d'expression est fort.

- Si tu écoutes davantage ton instinct d'expression est faible.

Es-tu la personne qui prévoit pour le futur ou préfères-tu vivre au jour le jour?

- Si tu prends des plans de retraite ou d'économie, ton instinct de conservation est fort.

- Si tu vis aujourd'hui en ne te préoccupant nullement pour l'avenir, ton instinct de conservation est faible.

Es-tu à l'aise en groupe ou dans les réunions familiales ou préfères-tu l'intimité à deux ou tout au plus à quatre?

- Si tu es très à l'aise en groupe et aime être entouré de beaucoup de personnes, ton instinct grégaire est fort.

- Si tu préfères l'intimité, ton instinct grégaire est faible.

Es-tu une personne qui utilise sa créativité, que ce soit dans la musique, le dessin, l'écriture ou autre ou préfères-tu utiliser des méthodes qui ont fait leurs preuves?

- Si tu aimes expérimenter des sentiers non battus, tu as un instinct de création fort.

- Si tu préfères suivre des consignes ou des modèles, ton instinct de création est faible.

En identifiant ces instincts, tu seras en mesure de mieux te connaître, mieux comprendre ton partenaire et de savoir quels sont les instincts qu'il te faut développer ou maîtriser.

Si dans ton couple, tu te plains que ton conjoint ne parle pas, peut-être as-tu à apprendre toi-même à écouter davantage. En le faisant, tu lui laisses de la place pour s'exprimer. Ou encore si c'est toi qui décides continuellement, peut-être as-tu à apprendre à te laisser diriger. Tu seras sûrement soulagé du poids de toutes les responsabilités qu'impliquent les décisions.

Voyons à présent les concepts que l'on peut entretenir.

Nos concepts sont formés à partir de nos pensées, sentiments ou émotions.

Prenons Julie qui entretient la **peur du rejet**; elle attirera fort probablement un partenaire qui entretiendra la **peur d'être possédé** ou la **peur de s'engager**.

Dans sa peur de le perdre ou de vivre un rejet, elle devient possessive et plus elle a une attitude possessive, plus son partenaire la fuit. Plus il s'éloigne, plus elle tente de le retenir. Dans cette relation étouffante, il finit par la quitter pour un prétexte quelconque. Julie en est quitte pour un sentiment de rejet. Elle se consolera en se disant qu'au fond il l'aimait mais que les circonstances ont fait qu'ils ne pouvaient continuer de se fréquenter ou à vivre ensemble.

Elle revivra le même modèle avec d'autres partenaires tant et aussi longtemps qu'elle ne sera pas libérée de la peur du rejet et qu'elle n'aura pas atteint son autonomie affective.

Et ces partenaires s'attireront des femmes possessives qu'ils fuiront tant et aussi longtemps qu'ils n'auront pas dépassé leur peur d'être possédés et qu'ils ne sauront pas s'affirmer dans leur besoin.

155

Nombre de ces personnes qui entretiennent la peur d'être rejetées deviennent dépendantes sur le plan affectif et s'attirent des personnes dépendantes sur le plan financier. Ainsi, ils s'achètent mutuellement leur besoin. L'un, l'affectif et l'autre, le matériel. Ces relations sont toujours étouffantes et destructives.

Prenons Andrée, qui entretient la **peur d'être trop;** elle attirera un partenaire qui entretiendra la **peur de ne pas être à la hauteur** ou **«un partenaire qui manque de confiance en lui».**

Lorsqu'Andrée rencontre Jean-Pierre, ce dernier lui dit: «Tu es bien trop bien pour moi.» Andrée, qui avait toujours les meilleures notes à l'école, se sentait «trop capable» par rapport au reste de sa famille. Se sentant mise à part, elle déteste qu'on la voie mieux que les autres. Aussi essaiera-t-elle de se diminuer au profit de Jean-Pierre de qui elle souhaite être aimée. Elle l'encouragera tant qu'elle le pourra pour qu'il développe le plein potentiel qu'elle lui attribue, s'empêchant elle-même d'aller de l'avant, d'accepter des promotions, par crainte que cette promotion fasse grandir davantage la dévalorisation de Jean-Pierre. Et ce, jusqu'à ce qu'elle en ait assez de gonfler un ballon crevé et qu'elle le quitte afin d'avancer elle-même.

J'ai vécu ces deux précédents concepts: la peur du rejet et la peur du trop. Lorsque j'ai connu mon premier conjoint j'étais étudiante. Un jour que j'étudiais en microbiologie, il me dit: «Lorsque tu auras terminé tes études, tu ne voudras plus rien savoir de moi qui suis machiniste; tu épouseras un médecin.» Pour lui prouver qu'il avait tort, je l'ai épousé avant la fin de mes études. Quand j'ai obtenu un poste en microbiologie (et à la fois l'autonomie financière), inconsciemment je voulais lui dire que je n'étais pas mieux que lui et qu'il pouvait donc m'aimer. C'est dans la maladie et la dépression qu'inconsciemment j'ai choisi de lui montrer que j'étais bien moins que lui. Je me souviens lui avoir répété à certaines reprises: «Toi tu as eu la chance d'avoir des parents bien équilibrés, ce qui n'est pas mon cas. Au fond tu vaux bien plus que moi.» Nous vivions une relation parent-enfant. J'allais chercher mon affection dans la surprotection face à ma pseudo-fragilité physique et mentale. Car dans ma peur d'être rejetée, j'avais attiré «un conjoint qui avait peur d'être possédé» qui me fuyait, me laissant seule la grande majorité du temps. Lorsque j'ai rencontré mon second conjoint, il m'a dit: «Qui je suis, moi, comparé à toi? Tu as pratiquement fait le tour du monde, tu as vécu tant d'expériences, tu as une belle profession. Moi, je ne connais rien comparé à toi!» Je lui ai répondu: «Ce ne sont que des connaissances et rien de plus.» J'ai reproduit le même modèle de maladie et dépression (bien inconsciemment) afin de le valoriser, de lui montrer qu'il était bien mieux que moi. Comme avec le premier, j'allais chercher mon attention et mon affection dans la maladie et la dépression car lui aussi était un éternel absent. De son côté, lorsque j'étais souffrante physiquement ou moralement il se sentait utile dans l'aide qu'il m'apportait (cela le revalorisait). Une fois encore ce jeu est devenu infernal; il m'a fallu en prendre conscience. À cette époque, je ne connaissais pas d'autre façon de m'en sortir qu'en fuyant la situation. Lorsque je l'ai quitté, il m'a dit: «Cela va peut-être te paraître étrange, mais c'est lorsque tu étais malade que je t'aimais le plus.» Ce qu'il aimait ce n'était pas moi, c'était le sentiment d'être utile et capable. Il faut dire que lorsque je n'étais pas dans ces états, j'étais le plus souvent «la femme bionique». Il arrive que des partenaires encouragent inconsciemment la maladie ou la dépression de leur conjoint parce que cela les valorise.

Avec mon troisième conjoint, j'en avais terminé avec ce jeu de la maladie et de la dépression pour valoriser mon partenaire. Ce dernier était psychothérapeute pour un grand établissement et moi, directrice du Centre d'Harmonisation Intérieure, comptant plusieurs employés. Tant qu'il eut son emploi, tout alla merveilleusement bien entre nous. Ce fut lorsqu'il quitta son emploi pour s'inscrire à l'assurance chômage que les problèmes commencèrent entre nous, mais surtout dans mon entreprise. Encore une fois inconsciemment j'ai délaissé complètement mes intérêts vis-à-vis le Centre jusqu'à me retrouver au bord de la faillite, en plus d'être seule car j'avais si peur de le perdre que je l'étouffais de mon trop plein d'amour. Comme je dépendais tellement de son affection, je me l'achetais en payant pratiquement tout. Cette situation est devenue insupportable pour lui et il fut habité d'un grand désir de partir. Ce fut après ce troisième conjoint que j'ai compris la nécessité de travailler à développer **mon autonomie affective** et de me libérer de ces peurs d'être rejetée ou encore qu'il ne m'aime pas s'il me voyait trop bien par rapport à lui.

LE CAS DE MARC

Marc entretient un profond **sentiment d'impuissance** qui provient de la vision de sa mère souffrante lorsqu'il était enfant. La première femme qu'il aime, Marie, est atteinte de sclérose en plaques et finira ses jours en milieu hospitalier. Il met des années à se consoler du décès de Marie. À trente-deux ans, toujours célibataire, il rencontre Nadine qu'il épouse un an plus tard. Après sa seconde grossesse, Nadine développe un cancer de la moëlle osseuse. À nouveau Marc revit le sentiment d'impuissance devant la maladie de Nadine, sentiment qui l'avait hanté pendant la maladie de Marie et celle de sa mère. Marc avait-il le don de s'attirer des femmes malades? Par son concept d'impuissance, il s'attirait forcément ce type de personnes.

Le fait de se libérer de son sentiment d'impuissance, en comprenant que sa mère et ses compagnes avaient ces expériences-là à vivre, peut, par ricochet, amener Nadine à prendre conscience de la cause qui l'a amené à développer ce cancer. Il est possible qu'elle s'autoguérisse en découvrant elle-même le message que son corps exprime. Toutefois, si elle succombe à sa maladie, Marc n'aura plus à revivre une situation similaire.

LE CAS DE DIANE

Diane entretient un concept de **peur d'être responsable**, qui est en fait la **peur de se sentir coupable**. Diane est une excellente infirmière, mariée à Denis depuis dix ans. Denis a un tempérament dépressif. Il n'a aucune confiance en lui-même. Doutant de sa valeur, il doute qu'il puisse être aimé pour lui-même. C'est dans la dépression qu'il va chercher son besoin d'attention et d'affection. Diane fait tout pour aider Denis. Certaines nuits, il quitte la maison, prend sa voiture en disant à Diane qu'il va en finir une fois pour toutes. Diane est dans tous ses états. Inquiète, elle passe la nuit à la fenêtre à prier pour qu'il ne lui arrive rien. Il finit par rentrer au matin pour se coucher alors que Diane doit aller travailler. Ce scénario dure depuis des années. Ce que Diane craint le plus, c'est la peur de se sentir responsable ou coupable si Denis en arrivait au suicide. Tant que Diane vivra dans cette peur, ce scénario se reproduira jusqu'au jour où Denis passera réellement à l'action. Ce qu'elle craint risque d'arriver et elle en prendra la responsabilité. C'est en comprenant sa peur de se sentir coupable que Diane peut cesser de vivre ce scénario. Pour ce faire elle dira à Denis qu'elle l'aime et qu'elle comprend qu'il a besoin d'aide mais se sent trop près de lui pour être en mesure de l'aider. C'est très souvent l'enfant qui a vécu des carences affectives qui agit ainsi. Nous verrons comment l'aider dans le prochain chapitre «Comment comprendre et rassurer l'enfant qui vit en soi et en son partenaire?».

LE CAS DE JEAN

Il y a des personnes qui se détruisent pour faire porter la responsabilité de leur souffrance à d'autres. J'ai connu certaines de ces personnes, mais une plus particulièrement. Jean ne s'était jamais senti compris et apprécié de sa famille. Ses opinions n'avaient pas leur place. Dernier de sa famille, son père et sa mère lui disaient: «Fais comme tes frères.» En grandissant, il s'est adonné à l'alcool. L'inquiétude de sa mère lui ramena l'attention particulière qu'il désirait tant. Il découvrit bientôt que lorsqu'il faisait pitié on s'occupait de lui. Et en même temps, il traduisait le message: «Si j'en suis là, c'est de ta faute.» Il a joué le même jeu avec sa femme. Lorsqu'il s'ennivrait, il dormait dans sa voiture ou sur le sofa du salon. Il se couvrait de son imperméable alors qu'à côté de lui il y avait un oreiller et des couvertures. Comment peut-on blâmer quelqu'un qui fait aussi pitié? Comment ne pas se demander ce qu'on n'a pas fait ou ce qu'on aurait dû faire?

Une jeune femme me confia qu'après l'avoir battue, son mari devenait attentif, la cajolait et s'en voulait à lui-même. Sans compter toutes ses amies et sa famille qui la plaignaient et devenaient plus attentifs à elle. Inconsciemment elle provoquait chez lui cette décharge d'agressivité pour l'attention qu'elle en récoltait. Les victimes attirent nécessairement les sauveteurs.

Les victimes se nourrissent de l'énergie, de l'affection et de la compréhension des autres. Les sauveteurs se sentent utiles, indispendables et aimés de leurs victimes.

159

Victime - Sauveteur

Dominant - Dominé

Indifférent - Intéressé

Altruiste - Égoïste

Voilà autant de couples qui s'attirent par cette loi d'attraction et de polarité et qui finissent par s'étouffer et se détruire mutuellement.

COMMENT S'EN SORTIR?

En identifiant les concepts que tu entretiens, écris tous les aspects qui te dérangent ou te font de la peine de la part de ton conjoint actuel ou de ton(tes) précédent(s) conjoint(s).

Te fuit-il? Peut-être as-tu peur d'être rejeté ou abandonné et lui d'être possédé?

Te résiste-t-il? Peut-être as-tu peur de perdre le pouvoir et lui d'être dominé?

Est-il égoïste? Peut-être veux-tu acheter son amour et son affection et lui veut se sentir libre de le donner comme il l'entend?

Est-il colérique ou agressif? Peut-être as-tu peur de l'autorité et lui, de perdre le contrôle?

Est-il déprimé? Peut-être veux-tu te sentir utile et lui, recevoir de l'attention?

Est-il négatif? Peut-être veux-tu le changer et lui veut te résister?

Est-il extrémiste? Peut-être es-tu toi-même trop raisonnable, et lui ne veut pas se sentir limité?

Est-il taquin avec un côté enfant très fort? Peut-être es-tu toi-même trop sérieuse et lui veut fuir un peu sa charge de responsabilité?

Continue cette liste et découvre le concept que tu entretiens pour attirer de tels partenaires ou de tels comportements chez ton partenaire. Souviens-toi qu'on ne peut changer personne d'autre que soi.

Change tes concepts. Rappelle-toi que ce qui nous dérange chez les autres est très souvent la partie de nous-même qu'on n'accepte pas, alors que ce que l'on admire est la partie de nous que nous avons à développer.

Fais aussi la liste de toutes les qualités que tu admires ou admirais chez ton partenaire actuel ou précédent. Utilise cette liste pour savoir ce que tu as à développer et à dépasser.

En changeant, tu entraînes par tes énergies tous ceux et celles qui gravitent autour de toi. Ceux ou celles qui résistent à ces changements critiquent leur partenaire en lui disant: «Depuis que tu prends ces maudits cours, tu n'es plus la même.» Par ces mots il traduisent: «Par tes changements, tu m'obliges à changer et ça, je ne le veux pas. Je n'ai pas envie de fouiller à l'intérieur de moi, j'ai bien trop peur d'y trouver un monstre.»

Bien entendu, la grande majorité de ces concepts de peur ont leurs racines dans notre enfance. Pour s'en libérer il est important de remonter au niveau de ses mémoires émotionnelles afin de changer les aspects négatifs du film de sa vie. De plus, il faut aider l'enfant qui vit en nous car c'est lui qui a peur.

Ce sera l'objet de notre prochain chapitre.

CHAPITRE X

COMMENT COMPRENDRE ET RASSURER L'ENFANT QUI VIT EN SOI ET EN SON PARTENAIRE?

En chacun de nous sommeille l'enfant que nous étions. Ce peut être l'enfant mal-aimé, l'enfant inquiet, l'enfant abusé, rejeté, celui qui n'avait pas de place, à moins que ce ne soit l'enfant jaloux gâté ou joyeux.

À certains moments cet enfant ressort. Plus souvent qu'autrement cet enfant se manifeste dans nos relations affectives. Pour bien comprendre cet enfant vivant en chaque adulte, il nous faut comprendre les trois instincts de base chez l'être humain.

LE PREMIER: L'INSTINCT DE SURVIE OU DE CONSERVATION.

Cet instinct est associé au rôle de la mère qui nourrit, réchauffe, soigne, donne l'amour et un sentiment de sécurité. Il se situe dans la région du ventre et répond à la question: *«De quoi ai-je besoin?»* Si la mère à bien tenu son rôle, l'adulte pourra utiliser cet instinct pour répondre à ses besoins physiques de manière adéquate sachant ce dont il a besoin pour survivre. S'il y a eu manque de la part de la mère, cet enfant devenu adulte peut avoir le sentiment de ne pas exister, ne pas savoir qui il est et avoir peur de ne pas être capable de prendre soin de lui-même.

JULIEN EN EST UN EXCELLENT EXEMPLE

À la naissance de Julien, sa mère, qui ne désirait pas cette maternité, refuse de s'en occuper, le privant des soins essentiels à un nouveau-né. Hubert, son mari, constatant la situation, décide de confier l'enfant à sa mère. Pendant des années, Julien tente d'entrer en communication avec sa mère qui lui ferme toujours sa porte. À la mort de sa grand-mère qui l'a élevé, il se jette dans la drogue et finit en prison.

Nombre de ces enfants se retrouvent à l'âge adulte en psychiatrie, en prison ou parmi les sans-abris, ou encore dans des maisons d'accueil, car très souvent, ils se sentent incapables de se prendre en main. Ils peuvent également devenir dépendants d'un psychiatre, d'un psychologue ou d'un thérapeute, ou encore, s'accrocher à une personne qui leur apportera ce besoin de protection et d'amour dont ils ont manqué.

LE SECOND: L'INSTINCT ÉMOTIONNEL OU DE RELATIONS AFFECTIVES

Cet instinct est associé au rôle du père qui apprend à l'enfant comment entrer en relation avec le monde. Il est situé dans la région du cœur et du plexus solaire. Il répond à la question: *«De quoi l'autre a-t-il besoin?»* C'est en sachant comment répondre à cette question que l'enfant devenu adulte peut entrer en contact avec les autres. Si le père a tenu son rôle en partageant sa vision du monde avec son enfant, en lui apprenant comment se comporter avec les autres, l'enfant devenu adulte sera à l'aise dans ses relations avec les autres. S'il y a eu manque de la part du père, l'enfant devenu adulte peut ne pas savoir de quoi l'autre a besoin et en être effrayé. Il peut avoir le sentiment d'être incapable d'entrer en contact avec les autres et vivre un profond sentiment de solitude; ou encore avoir de la difficulté à se faire des amis ou à fonctionner en groupe. Ces enfants devenus adultes vivent très souvent dans la peur de s'engager. Ils préfèrent entretenir des relations superficielles.

L'un de mes amis, ayant vécu ce manque, est directeur d'une entreprise. Il ne comprenait pas pourquoi son entreprise, qui offrait un excellent produit, connaissait autant de difficultés à s'établir, jusqu'au jour où je lui fis prendre conscience que ses employés, vivant continuellement dans la possibilité d'une fermeture, ne pouvaient donner leur pleine mesure et se montrer aussi intéressés qu'il le souhaitait.

Lorsque je lui fis comprendre l'importance d'offrir cette sécurité à ses employés en se posant la question: «De quoi ont-ils besoin?», il comprit que c'était ce qu'ils avaient le plus besoin pour donner leur plein rendement. Lorsqu'il put y répondre, les choses s'améliorèrent beaucoup dans son entreprise.

Il en va de même dans une famille comme dans une entreprise. N'y a-t-il pas un chef, un conseiller et des subalternes? Plusieurs conjoints pensent à ce qu'ils ont besoin mais oublient ou ne cherchent pas à savoir de quoi l'autre a besoin. Quelquefois on décide pour son partenaire, à d'autres moments on en fait trop ou plus du tout lorsqu'on en a assez. Plus nous serons à l'écoute de ce que l'autre ou les autres ont besoin, au lieu de décider pour eux, plus nous serons à l'aise avec notre partenaire et notre entourage.

LE TROISIÈME: L'INSTINCT MENTAL OU DE SYNTONIE.

L'instinct de syntonie fait que l'on accepte la vie; c'est l'instinct qui nous pousse à nous dépasser. Cet instinct est situé dans notre cerveau et répond à la question: «*Que se passe-t-il autour de moi?*» Il est associé aux rôles des parents qui encouragent et soutiennent l'enfant dans ses premières actions. Si ses parents ont bien tenu leur rôle, l'enfant devenu adulte sera naturel et aura confiance en lui. S'il y a eu manque ou dévalorisation, l'enfant devenu adulte n'accordera pas de valeur à ses propres actions ni à celles des autres. Il n'aura pas confiance en lui et se sentira toujous en dehors du jeu, en plus d'avoir l'impression de ne pas avoir de prise sur sa vie.

Les personnes manquant le plus de confiance en eux ont souvent été des enfants critiqués, à qui on demandait toujours davantage et qu'on oubliait de féliciter ou d'encourager, ou encore qu'on comparait de manière dénigrante.

NOTRE FOND COMMUN

Il n'y a aucun être dans toute la création qui ait une dépendance aussi longue que le petit de l'être humain. Ce fait biologique de notre dépendance infantile et les dispositions sociales prévues pour prendre soin de nous durant cette période font partie de ce que nous appellerons NOTRE FOND COMMUN. Certes nos expériences particulières, face à notre éducation, (milieu social) vont donner un aspect particulier à ce fond commun et influencer nos choix, nos aspirations dans les années futures.

Attardons-nous sur ce fond commun pour mieux comprendre pourquoi en général, les femmes vont se comporter de telle façon et les hommes de telle autre dans une relation de couple. Qui n'a pas entendu parler des volumes «Ces femmes qui aiment trop» ou encore «Ces hommes qui ne communiquent pas»?

Tout être humain, jusqu'à présent, a été conçu, porté et est né d'une femme. Quel que soit son sexe, garçon ou fille, ses premiers liens d'attachement sont envers une femme. Pendant la période de gestation jusqu'à l'âge d'environ un an et demi à deux ans, l'enfant vit une relation symbiotique avec sa mère. Cette relation est un lien de dépendance essentiel à sa survie. Puis arrive la période de séparation où l'enfant devient ambivalent entre son **besoin de dépendance** et **son désir d'indépendance**.

C'est ce qu'on peut observer chez l'enfant qui s'éloigne de sa mère d'un air triomphant pour aussitôt revenir le visage angoissé. Au moment même où sa mère tente de le rassurer, il se débat pour repartir. Symbiose et séparation sont les thèmes dominants de cette période.

L'enfant trop materné durant cette période risquera de devenir rebelle et de développer la peur d'être possédé. L'enfant qui n'a pas été suffisamment materné durant cette période pourra développer la peur d'être abandonné et le sentiment de ne pas exister s'il n'est pas aimé. C'est pourquoi il fera tout pour être aimé, et si la personne qu'il choisit d'aimer ne répond pas à ses attentes, il rejettera cette personne plutôt que de prendre le risque d'être rejeté par elle, tout comme il a aimé et rejeté le parent par lequel il s'est senti abandonné.

Quand une femme et un homme vivent une relation intime, chacun refait l'expérience, ne serait-ce que sous une forme atténuée, de ces luttes précoces relatives à la symbiose et à la séparation, ou le dilemme entre le désir de ne faire qu'un avec l'autre et le désir du moi indépendant et autonome.

Une jeune femme, qui vivait continuellement dans la peur d'être abandonnée de l'homme qu'elle aimait, me confiait qu'à certains moments, elle voulait tellement être près de son homme, que même s'il l'entourait le plus qu'il pouvait, cela lui semblait encore insuffisant. Voilà des attitudes où l'enfant, pourtant dans un corps d'adulte, veut recréer inconsciemment ce lien symbiotique.

Nous portons tous en nous deux personnes, soit l'adulte qui correspond à notre aspect rationnel et l'enfant qui correspond à notre aspect émotionnel. Nombre d'hommes ou de femmes fonctionnent très bien sur le plan professionnel, où ils assument parfois de très grandes responsabilités avec un tact parfait, mais perdent complètement leur belle maîtrise dans leurs relations affectives où ils peuvent poser des gestes complètement irréfléchis. J'ai connu une très grande thérapeute extrêmement brillante et compétente, qui, en amour, agissait comme une adolescente de quinze ans.

L'adulte (de par son esprit rationnel), sait qu'un retour à l'ancienne (union symbiotique) est impossible et que la séparation n'est plus une question de vie ou de mort. Mais l'enfant qui vit en nous, lui, croit qu'il ne pourra plus vivre s'il n'est pas aimé. C'est ce qui explique qu'à certains moments nous nous sentons attirés vers une relation intime de manière irrésistible et qu'à d'autres moments cette même relation nous effraye, nous angoisse et nous incite à reculer.

Cette relation réveille l'enfant qui a connu autrefois l'extase d'une union symbiotique et la souffrance de la séparation, et qui vit maintenant dans ses peurs d'être étouffé ou abandonné.

Luc me partageait que lorsqu'il était loin de la femme qu'il aimait, il ne pensait qu'au moment de la revoir; et dès qu'elle était là, il avait le sentiment qu'elle allait le dévorer et voyait en elle une sorte de monstre. Autant il avait désiré son contact, autant il rejetait ses approches.

Bien sûr ce n'est pas l'homme mais l'enfant qui vit en lui qui réagit de cette façon. C'est l'enfant qui a vécu l'extase du lien symbiotique et le supplice de la séparation pour développer son autonomie. Ce qu'il fuit ce n'est pas l'intimité voulue par sa femme, mais ses propres désirs et besoins de dépendance que cette relation menace de réveiller. Il a peur de perdre cette indépendance qu'il a mis tant de temps à acquérir.

Voyons à présent pourquoi en général les hommes agissent d'une façon et les femmes de l'autre.

Du processus de séparation qui se manifeste chez l'enfant vers l'âge de deux ans, vont naître deux éléments essentiels:

- **l'identité du moi;**
- **l'identité sexuelle.**

La fille aura plus de difficulté avec l'identité de son moi étant donné que celle qui l'a maternée est une femme comme elle. Il lui sera plus difficile de savoir où commence l'une et où finit l'autre. Ceci peut expliquer pourquoi il y a tant de conflits entre mère et fille. La fille en général ne veut pas ressembler ou être comparée à sa mère, surtout à l'adolescence, moment où elle désire affirmer sa propre personnalité. Sans parler de la rivalité qui existe parfois entre la mère et la fille relativement à l'élément dispensateur de l'affection: le père.

Par contre, l'identité sexuelle, qui suppose l'acceptation et le renforcement de la notion «Je suis une fille», sera facilitée étant donné que la fille peut s'identifier à sa mère. Il en sera tout autrement pour le garçon qui devra renoncer à ce lien d'attachement et d'identification à sa mère pour s'identifier avec sa masculinité. C'est ce que nous montre le petit garçon de deux ans qui dit: «Moi quand je serai grand j'aurai des bébés comme toi maman» et la mère s'empresse de lui répondre: «Non, ce sont les filles qui ont des bébés, pas les garçons.» L'enfant se met parfois à pleurer, il est déçu ou en colère. Il ne peut comprendre pourquoi jusqu'à présent, il pouvait faire les mêmes choses que sa mère et que maintenant elle fait une différence entre les filles et les garçons, entre elle et lui.

Chaque garçon vivra cette séparation à sa manière. Certains en feront peu de cas alors que d'autres vivront cette séparation de façon très frustrante.

De cette frustration peuvent découler certains comportements comme: le mépris, la domination, la protection, le rejet de sa masculinité, etc.

MÉPRIS ET DOMINATION

L'enfant frustré peut penser qu'il n'a rien fait à cette mère qu'il aimait pour qu'elle l'abandonne au monde vague et étranger des hommes, et se sentir trahi. Il peut perdre confiance en sa mère et en toute autre femme. Il peut développer du mépris envers la femme.

GINO EN EST UN EXCELLENT EXEMPLE

Très bel homme du style «play-boy», on le rencontre toujours avec les plus jolies femmes qu'au fond il méprise. Il prend un certain plaisir à les faire souffrir. Bien entendu les masochistes lui collent à la peau. Linda vient me consulter au sujet de sa relation avec lui. Elle me dit n'avoir cessé de pleurer depuis qu'ils se fréquentent. C'est une très belle fille. Il se plaît à la dénigrer. Si elle lui raconte une histoire drôle, il la trouve stupide. Si son copain Mario lui raconte la même histoire, il rit aux éclats. En fait il ne prend de la femme que la valorisation de sa masculinité car il apprécie nettement mieux la compagnie des hommes. On retrouve beaucoup de ces cas-types chez les nationalités où il y a domination de l'homme sur la femme.

PROTECTION

Parfois, l'enfant pourra voir sa mère comme un être faible qu'il se sentira obligé de protéger. Cela donne souvent naissance à des relations de couple parent-enfant. Après avoir protégé sa mère, cet homme s'attire une femme qui recherchera la protection d'un père. Il vivra le plus souvent en fonction de ces femmes (sa mère et sa compagne), en se soumettant complètement à leurs caprices pour ne pas leur faire de peine.

REJET DE SA MASCULINITÉ

Si cette séparation n'est pas encouragée et soutenue par le père parce qu'il est absent, le garçon peut continuer à s'identifier à sa mère développant ainsi davantage son aspect «YIN». À l'âge adulte il peut ressentir une forte attirance vers les hommes. Certains deviendront homosexuels, d'autres travestis ou transsexuels, d'autres enfin, épouseront une femme afin de fuir cette attirance qu'ils se refusent.

BENOIT EST ATTIRÉ PAR LES HOMMES

Chez Benoit cette période de séparation ne fut pas encouragée par son père ni aucun élément masculin (frère ou grand-père) aussi, l'identification à sa mère persista. À l'âge de onze ans, il a un ami qu'il affectionne très spécialement. Dans l'innocence de son âge, il déclare devant sa famille que plus tard, il épousera Jean-Marc. Sa famille lui rétorque que c'est impossible pour un homme d'en épouser un autre, et qu'un tel geste serait péché et condamné par Dieu. Dans sa tête, entre l'équation: «Aimer un homme quand on est soi-même un homme, c'est mal.» Quatorze ans plus tard, toujours célibataire, on lui présente une femme qui a de grandes difficultés psychologiques. Il entreprend de l'aider. Sa famille et ses proches les poussent à se marier. Même marié, il ressent de fortes attirances envers les hommes, mais en même temps il en a peur. Car, dans sa banque d'images, l'homosexualité est condamnée. Pourtant, plusieurs adolescents le traitent de tapette, d'homosexuel, de gai, etc. L'identification à son élément masculin n'étant pas faite, cet élément manquant l'attirait chez les autres hommes. C'était l'enfant en lui qui recherchait son père pour s'identifier à sa masculinité. (On pourra relire *Comprendre l'homosexualité* dans mon premier volume *Participer à l'Univers sain de corps et d'esprit*)

Chez les transsexuels mâles, on observe presque toujours l'absence du père durant l'enfance. Il y a eu un manque total dans l'identification à l'élément masculin.

PEUR DE L'ABANDON

Pour certains hommes la naissance d'un enfant réactive la peur de l'abandon. Ils peuvent devenir jaloux de leur enfant et voir cet enfant, même au berceau, comme un rival. Louis vivait ce sentiment qu'il n'avait jamais osé révéler à qui que ce soit. Il se sentait pris entre son amour pour son fils et ce sentiment honteux de le voir comme un rival qu'il souhaitait écarter. Encore une fois c'était l'enfant en lui qui réagissait intérieurement de cette façon.

INTERDÉPENDANCE

Tant de couples vivent des relations d'interdépendance parce qu'ils n'ont pas atteint la maturité affective qui leur permettrait de vivre une véritable vie de couple en évolution.

Liliane en est à son second conjoint. Ayant eu une carence au plan affectif dans son enfance, elle sera adulte avant d'avoir été enfant. À l'âge de trois ans, on lui confie déjà des responsabilités d'adulte. Lorsqu'à dix-huit ans elle rencontre Paul, elle peut enfin laisser vivre l'enfant qui vit en elle. Graduellement s'intalle entre eux une relation parent-enfant. Elle devient la petite fille qui ne s'était pas permis de vivre. Paul y trouve son compte puisqu'il a le sentiment de la rendre heureuse. Au fil des années, Paul a pris l'habitude de penser pour elle, d'assumer toutes les décisions importantes. Liliane a l'impression de vivre avec son père. Cette relation devient de plus en plus étouffante. Elle tente de fuir cette situation en entretenant une relation extra-conjuguale où elle a la sensation de se vivre en tant que femme. Ce besoin d'affirmer sa place en tant que femme crée un écart entre eux qui les conduit vers une séparation. Développant son autonomie financière grâce à la situation qu'elle occupe, elle s'installe confortablement. La solitude lui pèse, elle se cherche un compagnon et fait la connaissance de Pierre, un ingénieur sans travail depuis près d'un an. Pierre est du genre très amoureux. Liliane est vite conquise. Elle fera tout pour aider Pierre à se trouver un nouveau travail allant jusqu'à l'installer dans sa maison parce qu'il ne peut plus payer son appartement. Elle le nourrira, le vêtira et pendant ce temps, Pierre semble se chercher un emploi. Mais plus le temps passe, plus il devient un poids pour

171

elle; ce qu'elle ne manquera pas de lui rappeler. À chaque fois qu'elle tente de le mettre face à ses responsabilités, Pierre menace de partir. Alors Liliane s'accroche à lui pour ne pas le perdre, continuant à s'acheter l'affection de Pierre.

Combien de femmes financièrement autonomes vivent une situation semblable à celle de Liliane et paient très cher leur dépendance affective?

Encore une fois c'est la petite fille en Liliane qui croit qu'elle ne peut vivre sans cette affection. C'est cette petite fille que Liliane doit reconnaître, rassurer et aider à atteindre sa maturité.

Dans un premier temps Liliane a cherché auprès de Paul le père qu'elle n'avait pas eu. Par la suite, alors, qu'elle a rejeté ce rôle, elle le vit à nouveau mais cette fois à l'inverse. C'est elle qui prend le rôle du parent assurant les responsabilités du ménage et qui tente d'aider l'enfant en la personne de Pierre.

Comment sortir de ces rôles? C'est ce que nous verrons dans ce chapitre.

Jeannine est mariée à Robert depuis sept ans, ils ont deux enfants. Dès le début de leur mariage, Jeannine se montre très soupçonneuse face aux retards de Robert. S'il regarde une autre femme, elle lui fait une véritable crise de jalousie. Son amour étouffant finit par donner raison à Robert de s'éloigner de plus en plus. Il la fuit dans son travail, dans le sport devant la télévision. Un soir qu'il rentre passé une heure du matin, c'est l'orage. Il lui dit qu'il n'en peut plus et qu'il s'en va. Il part en claquant la porte. Jeannine s'enferme dans la salle de bain et avale tous les médicaments qu'elle trouve. Lorsqu'il rentre, Robert la trouve évanouie sur le parquet de la cuisine.

Beaucoup de tentatives de suicide ont pour cause cette souffrance affective de l'enfant qui vit en nous. L'enfant qui souffre agit sans réfléchir; avale des médicaments, se jette à l'eau, s'ouvre les veines. Très souvent c'est après avoir agi qu'il réalise ce qu'il vient de faire. Son instinct de survie menacé prend panique et il appelle au secours.

Le plus grand travail des thérapeutes consiste à aider l'enfant qui souffre dans l'adulte perturbé. Si un thérapeute, par son attention et son affection ne fait qu'encourager l'enfant à exister sans l'aider à atteindre son autonomie, la thérapie peut s'échelonner sur une très longue période, voire des années.

COMMENT AIDER CET ENFANT QUI VIT EN NOUS OU EN NOTRE PARTENAIRE?

PREMIÈREMENT: SAVOIR QUAND IL SE MANIFESTE.

L'enfant en nous se manifeste surtout dans une relation où il y a une intimité susceptible de réveiller le souvenir du lien symbiotique. Plusieurs personnes pensent que des liens d'amitié sont plus souhaitables et plus durables que des liens amoureux. Cela s'explique par le fait que «l'enfant souffrant» ne s'éveille que dans une relation intime. Dans une relation amicale, il est plus facile de demeurer dans son plan adulte. (rationnel)

DEUXIÈMEMENT: RECONNAÎTRE SES AGISSEMENTS

Lorsque l'enfant en toi vit des peurs ou des angoisses, il peut t'amener à t'accrocher d'une manière très possessive à la personne que tu aimes, ou encore te la faire fuir de diverses manières, soit dans le travail, le sport, la politique, les amis, la télévision ou tout simplement en te fermant à elle ou à lui comme si cette personne n'existait plus. L'enfant en toi peut aussi se mettre à bouder, douter de l'affection qu'on lui porte, montrer des signes de jalousie, partir sur un coup de tête, se réfugier dans un coin, se recroqueviller sur lui-même, tourner le dos à l'autre, dire des paroles blessantes qu'il ne pense pas, avoir des comportements totalement irréfléchis et encore...

L'enfant, de par sa nature, est égocentrique; sa survie en dépend. Il ne tient pas compte des autres lorsqu'il a faim ou qu'il est inconfortable. Il crie et réclame son besoin. Il veut vivre et pour assurer sa survie il ne pense qu'à lui. Quand nous vivons dans notre enfant carencé, nous nous centrons aussi sur nos propres besoins sans tenir compte des besoins de l'autre et nous agissons égocentriquement. Ces comportements égocentriques sont les plus destructrifs pour un couple. Pourtant une grande majorité de couples sont formés par deux enfants carencés!

TROISIÈMEMENT: LUI PERMETTRE D'EXISTER

Permets-lui d'exister, non pour lui céder toute la place, mais pour le rassurer, lui dire qu'il n'a rien à craindre, qu'il est aimé et en sécurité. Si tu te reconnais dans les agissements de cet enfant qui a peur (d'être abandonné, rejeté, étouffé, etc.), arrête-toi, prends de bonnes grandes respirations. Imagine-toi en petit enfant de deux ou trois ans (tu peux retrouver des anciennes photos au début pour t'aider). Puis, en fermant les yeux, imagine que tu berces, consoles et rassures ce petit enfant qui vit en toi. Laisse l'adulte en toi reprendre la maîtrise de la situation tout en permettant à ton enfant d'être rassuré.

Si tu étouffes cet enfant, il se manifestera sous forme de panique. Il éclipsera l'adulte pour prendre totalement la place par des comportements irréfléchis et incompréhensibles pour ton partenaire.

Tu peux aussi aider l'enfant qui vit en ton partenaire en l'accueillant, en le rassurant, en aidant graduellement l'adulte qui vit en lui à reprendre la maîtrise de la situation.

Par exemple:

•   S'il se met à bouder, évite les moqueries du genre: «Un vrai petit bébé.» Dis-lui plutôt avec ton coeur: «Oui, tu as droit d'être déçu, d'être triste. Je veux seulement que tu saches que je t'aime même si tu ne peux le voir et même si je ne peux répondre à ton besoin.» N'insiste surtout pas. Laisse-le avec lui-même. Ne lui donne surtout pas son petit bonbon (le pouvoir de gagner sur toi) car tu encouragerais les agissements de son enfant qui ne peuvent nullement être favorables à votre couple. Fais-lui simplement savoir que tu l'aimes et permets-lui de vivre ce qu'il vit.

•   S'il te menaçait de se suicider, il est important de ne pas donner de pouvoir à ces agissements. L'enfant veut inquiéter sa mère (que tu représentes), c'est sa façon de vérifier si elle l'aime. Pour l'aider sachant qu'il se vit dans son enfant souffrant, tu lui diras:

«Oui, je comprends la souffrance qui t'habite. Tu as le droit d'avoir mal mais je veux que tu saches que je t'aime. Dans mon amour je te laisse libre. Si tu crois vraiment que de te suicider est la solution, c'est ton choix, je l'accepte, mais si tu veux recevoir de l'aide, je t'aiderai à trouver une personne qui pourra le faire.»

- L'enfant, se sentant compris et accueilli, n'a plus besoin de paniquer et se calme. Il vaux mieux proposer de l'aide extérieure dans un tel cas que d'essayer d'aider son partenaire à moins d'être émotionnellement détaché de ce qu'il vit.

J'ai vécu très fortement la situation de l'enfant carencé affectivement. L'enfant en moi allait chercher ses besoins d'affection dans la maladie, la dépression et parfois dans la sexualité. J'ai eu la chance d'aimer un très grand thérapeute qui m'a beaucoup aidée à guérir l'enfant souffrant en moi.

Il y avait des mois que je ne l'avais pas vu. Au Nouvel An, Il me rendit visite. Après un merveilleux dîner en tête-à-tête et une soirée d'échange des plus agréables, nous sommes allés nous coucher. J'espérais que nous fassions l'amour mais il ne manifesta aucun intérêt. Le lendemain il fut plus distant. Lorsque le soir je me suis retrouvée à ses côtés dans le lit, je lui fis comprendre mon désir d'avoir une relation sexuelle. Ce à quoi il ne répondit pas. Frustrée, je l'ai boudé au début pour finir par lui exprimer ma frustration. Il m'a accueillie dans cette frustration, me permettant de la vivre. Il m'invita à identifier mon véritable besoin et je compris que j'avais simplement besoin de savoir qu'il m'aimait. Il se mit à me donner plein de tendresse et d'affection. Après un moment, je lui ai confié que mon vrai besoin avait été comblé, qu'il pouvait dormir. Il me dit: «Maintenant que je sens que tu m'aimes j'ai envie de me donner à toi.» Ce fut ce qu'on peut appeler une véritable relation d'amour. Car, au début, je ne pensais pas à lui, je voulais le posséder pour qu'il comble mon besoin à moi. Lorsqu'on découvre ce qu'est vraiment l'amour, on se rend compte que la possession est bien loin de l'amour. Nous y reviendrons au chapitre «L'amour dans le couple».

Plus tu vas permettre à cet enfant en toi d'exister en devenant témoin, toi, l'adulte, tu pourras rassurer et aimer ton enfant et par conséquent tu vas permettre à ton conjoint de laisser vivre son propre petit enfant sans pour autant avoir peur que cet enfant brise votre relation.

Quand cet enfant que tu étouffais et qui se manifestait sous forme de panique ou par des gestes irréfléchis pourra vivre, tu vivras avec cet enfant heureux en toi. C'est celui qui aime rire, s'amuser, être spontané. C'est celui qui sait encore s'émerveiller, qui est ouvert et qui est prêt à prendre des risques pour aller plus loin.

FAIS DE L'ENFANT SOUFFRANT EN TOI UN ENFANT HEUREUX

Il peut arriver que l'enfant en toi est si souffrant que tu te sens incapable de le rassurer et de le guérir. Alors, si tel est le cas, imagine ce petit enfant que tu étais. Prends-le dans tes mains et offre-le à Dieu en demandant qu'il le guérisse pour toi. Sois profondément sincère dans ta demande et tu verras le miracle s'accomplir.

QUATRIÈMEMENT: AIDE TON CONJOINT À PRENDRE CONSCIENCE DE CE QU'IL VIT LORSQUE L'ENFANT EN LUI ÉCLIPSE L'ADULTE.

Fais-le seulement lorsqu'il est à nouveau dans son plan adulte et non pas lorsqu'il est dans la souffrance de son enfant, parce que c'est seulement en prenant conscience qu'on en arrive à rassurer, aimer et guérir cet enfant en nous.

CINQUIÈMEMENT: DÉVELOPPE TON AUTONOMIE AFFECTIVE.

Cela ne signifie pas de renoncer à une vie de couple ou à des échanges affectifs mais à ne pas en dépendre comme si ta vie même en dépendait. N'en fais pas ton plat de résistance mais un dessert dont tu peux très bien te passer en étant conscient que tu sais également l'apprécier lorsqu'il est là.

Au plan affectif, peu de personnes ont atteint la maturité car une grande majorité sont encore au niveau de leurs carences. On peut dépasser ses carences à condition d'être prêt à y mettre les efforts de volonté qu'implique le travail sur soi. On peut utiliser des moyens tels ceux que je t'ai proposés. Mais sache qu'il y en a d'autres aussi, tels le massage en douceur qui est excellent pour aider l'enfant à se vivre et à se libérer. C'est seulement dans l'amour et la tendresse que l'on peut renaître.

Les couples qui savent se témoigner de la tendresse sont des couples heureux car la tendresse apaise l'âme et crée le véritable bien-être.

Quand tu auras atteint une certaine maturité affective tu sera prêt pour entreprendre l'ascension du sommet de la réalisation avec ton partenaire.

CHAPITRE XI

LA COMMUNICATION, ÉLÉMENT ESSENTIEL À L'ÉPANOUISSEMENT D'UNE RELATION DE COUPLE

Un partenaire joyeux est comme une journée ensoleillée.

Un partenaire maussade est comme un jour de pluie. C.R.

La capacité de communiquer est le signe de la maturité d'un couple. Les adultes se parlent, les enfants se chamaillent, se boudent ou se ferment. Investirais-tu dans une entreprise où tu ne pourrais communiquer avec ton associé? La communication est la base même d'une relation saine, qu'il s'agisse d'une relation amicale, professionnelle ou d'une relation intime.

Pour qu'il y ait communication, ça implique un interlocuteur et un auditeur. Certains individus sont de bons interlocuteurs mais de piètres auditeurs en ce sens qu'ils communiquent très facilement tout ce qu'ils pensent, ressentent ou désirent, mais sont peu à l'écoute des autres.

D'autres, à l'inverse, sont de bons auditeurs mais n'expriment que rarement leurs opinions ou leurs sentiments. À la longue, le bon interlocuteur trouve le bon auditeur peu stimulant et même ennuyeux, alors que le bon auditeur peut à son tour se sentir perdant ou incompris.

Chez plusieurs couples, nous rencontrons un des partenaires qui parle continuellement et parfois pour les deux alors que l'autre n'ouvre pratiquement pas la bouche. Si tu es cette personne qui communique facilement mais qui se plaint d'avoir un conjoint qui ne communique pas, il est fort probable que tu aies à apprendre à écouter.

COMMENT ÊTRE UN BON AUDITEUR OU COMMENT BIEN ÉCOUTER L'AUTRE?

Lorsque l'enfant naît, sa fonction d'écouter précède sa fonction de verbaliser car c'est en écoutant qu'il apprend à parler. Alors, il est essentiel de savoir écouter afin d'apprendre. Il y a toute une différence entre écouter et entendre.

L'ÉCOUTE IMPLIQUE L'ATTENTION

On peut entendre une personne sans être attentif à ce qu'elle nous dit. L'expression «Ça lui rentre par une oreille et ça lui sort par l'autre», traduit bien cette attitude.

Les personnes présentant des problèmes d'audition (surdité) sont souvent des personnes qui n'écoutent pas. Quelques fois elles pensent à ce qu'elles désirent nous exprimer pendant que nous leur parlons, ou encore elles ont peur de l'autorité ou de la critique et se ferment complètement à ce que l'on veut leur dire. D'autres se ferment pour mieux entendre leur voix intérieure par exemple Beethoven.

Un problème de surdité peut être surmonté en apprenant à écouter plus attentivement. Alors, si tu veux devenir un bon auditeur, soit attentif à l'autre et à ce qu'il t'exprime. Surtout si tu es du type auditif, prends le temps de regarder la personne à qui tu t'adresses ou qui s'adresse à toi. Il y a des circonstances où on ne peut regarder la personne qui nous parle, par exemple lorsque l'on conduit une automobile. Mais la plupart du temps cela est réalisable.

Montre-lui que tu t'intéresses à ce qu'elle te partage. Tu peux, à l'occasion, résumer son message pour t'assurer que tu comprends bien et ainsi lui démontrer que tu es attentif à ce qu'elle te partage.

Tu peux également lui poser des questions en relation avec ce qu'elle t'exprime.

Mets autant que possible tes opinions personnelles de côté pour vraiment comprendre son message. Il arrive qu'un des partenaires entretient des pensées qui le tracassent et qu'en les verbalisant il puisse s'en libérer. Ce peut être des craintes, des déceptions, des frustrations.

En voici un exemple:

• Il te dit: «Je me suis senti déçu que tu n'aies pas accepté de m'accompagner à cette fête d'amis.» Voilà le sentiment qui l'habite et qu'il désire exprimer, non pour t'accuser mais afin de se libérer de sa déception.

Si tu prends son message négativement, tu réagiras en lui répondant:

• «Tu sais que je déteste ces soirées.» Tu tenteras de te justifier et tu seras incapable de l'accueillir dans ce qu'il désire te partager. Mais si tu veux vraiment l'écouter, tu l'accueilleras dans ce qu'il veut te verbaliser en lui disant:

• «Oui... je comprends que tu as été déçu! (fais une pause) Qu'est-ce qui t'a le plus déçu?»

• Il peut répondre: «Tout le monde était là en couple et moi j'étais tout seul. J'ai même entendu chuchoter que nous étions en voie de séparation.»

• Toi: «Je comprends combien tu m'aimes, et je sais que tu aurais préféré que je t'accompagne. Moi aussi je t'aime! Qu'est-ce que tu crois que tu peux retirer de cette expérience?»

• Il peut répondre: «Je pense que je me laisse encore déranger par ce que les autres peuvent penser ou dire.»

À chaque question que tu poses, laisse-lui le temps d'y penser avant de te répondre. Évite de poser une question après l'autre sans que ton partenaire n'ait eu le temps de répondre à la première.

Si deux personnes veulent évoluer ensemble, en couple, cela implique que chacune assume la responsabilité de ce qu'elle vit. Cela n'exclut pas les craintes, les déceptions et les frustrations. Cependant, elles sont ouvertes à l'apprentissage par leurs expériences.

Si cependant j'ai un conjoint qui n'est pas encore prêt à vouloir apprendre de ses expériences, j'exclurai la dernière question. Je

181

m'en tiendrai à lui faire savoir que je sais qu'il m'aime et que dans son amour il préfère être en ma compagnie plutôt qu'être seul. Et je le rassurerai en lui disant que je l'aime aussi. Il est inutile de vouloir faire avancer son partenaire plus rapidement qu'il ne le souhaite. Tirer sur les fleurs ne les fait pas pousser plus vite.

Parfois il te faudra décoder le message qu'il ou qu'elle t'exprime pour en comprendre le sens véritable. Autrefois, comme nous l'avons vu précédemment, les gens disaient le contraire de ce qu'ils pensaient, par crainte de révéler leurs sentiments ou parce qu'ils ne savaient pas comment exprimer ce qu'ils ressentaient. Il est possible que ton partenaire fasse parfois la même chose, surtout lorsque l'enfant souffrant en lui s'exprime. Il te sera alors très important d'essayer d'identifier le vrai message.

En voici un exemple:

• Elle dit: «Moi je ne compte pas. C'est toujours ta famille qui passe avant moi.» S'il n'est pas à l'écoute du sentiment qui l'habite, il pourra lui répondre: «Tu te fais des idées» ou encore «Tiens la voilà jalouse de ma famille.» Mais s'il comprend le sentiment qui l'habite il lui dira: «Est-ce que tu veux me dire que tu n'es pas convaincue que je t'aime?» Elle répondra: «Oui.» Lui: «Qu'est-ce qui pourrait te convaincre?»

Sois également attentif à son langage non verbal. Le langage non verbal est tout ce qu'on ne dit pas avec des mots mais que l'on exprime par nos yeux, nos attitudes, nos gestes, par les couleurs avec lesquelles on s'entoure et même par les vêtements que l'on porte. Sans avoir une connaissance approfondie du langage non verbal tu peux, en étant attentif, déceler chez ton partenaire la fatigue, les préoccupations, la tristesse, le découragement, la colère, le doute, tout comme la joie, l'enthousiasme, la confiance, etc.

Sois à l'écoute de ce langage. Lorsque l'autre est préoccupé, peut-être préfère-t-il être seul? Quand il est fatigué ou découragé, peut-être a-t-il besoin d'encouragement; quand il est triste, un peu de tendresse peut lui faire du bien. Et lorsqu'il est en colère, peut-être a-t-il besoin de l'exprimer en action? Plus tu seras à l'écoute de ses besoins sans oublier les tiens, plus vous aurez de joies à partager ensemble, et plus l'ascension vers le sommet de votre réalisation vous semblera agréable.

COMMENT AMENER UN PARTENAIRE QUI NE S'EXPRIME PAS OU PEU À COMMUNIQUER?

Très souvent on n'a pas permis à l'enfant en lui de s'exprimer. Ce partenaire a souvent eu des parents ou des professeurs qui ne l'ont jamais encouragé à verbaliser sa pensée, ou pire, qui l'ont critiqué quand il tentait de le faire. Il fallait qu'il se taise et qu'il obéisse. Il a appris à incliner la tête, doutant même que ce qu'il pourrait dire puisse intéresser les autres. Ce phénomène est plus généralisé chez les hommes, car un homme ne devait pas exprimer ses sentiments.

Un père disait à son fils qui allait se marier: «Si tu ne veux jamais divorcer de ta femme, chaque fois qu'elle te criera après, tais-toi. L'orage finit toujours par passer.» Et c'est ce que plusieurs hommes ont fait. Pour aider ce partenaire à s'exprimer, tu devras lui montrer que tu es très intéressée à écouter ce qu'il à te dire.

Tu peux tenter de le rejoindre sur des sujets qui l'intéressent.

Sers-toi de messages ou de questions courtes et précises pour lui laisser de l'espace pour s'exprimer.

Surtout n'essaie pas de verbaliser sa pensée à sa place, dans le genre: «Je sais que tu penses que ça ne vaut pas le coût.» Pose-lui plutôt la question et attends sa réponse.

Montre-toi patiente. On écoute habituellement plus vite que l'on parle. Ces personnes, à qui on ne permettait pas de s'exprimer, ont besoin de plus d'espace que les autres, car elles n'ont pas appris à prendre leur place au niveau de l'expression verbale. De plus elles ont besoin de beaucoup d'encouragement.

Fais-lui savoir comme tu te sens bien lorsque vous pouvez échanger ensemble.

Respecte son rythme. Si, à certains moments, il ne désire pas converser, n'insiste pas.

Plus l'escargot se sentira libre d'exister en toute sécurité, plus il sortira de sa coquille. L'obliger à en sortir le ferait rentrer davantage.

Évite de le critiquer par des remarques semblables: «Il ne dit jamais un mot» «Le chat t'a t-il mangé la langue?» «Une vraie tombe» «Y a t-il quelque chose de plus ennuyant que de vivre avec un muet?» C'est par des critiques qu'il s'est renfermé. Le critiquer l'amènera à se refermer davantage.

Au début, choisis des moments propices à la conversation et prépare graduellement une place à la communication dans le quotidien. Téléphone-lui quelques fois pour le simple plaisir de l'entendre. Fais de la communication un jeu agréable pour les deux, et dans lequel tu l'entraîneras en étant toi-même davantage auditeur.

Montre-toi naturelle devant ses efforts. Fais comme s'il s'était toujours exprimé facilement, mais subtilement, continue à l'encourager.

QUELS SONT LES OBSTACLES À UNE BONNE COMMUNICATION?

Le mot communication, comme le mot communion, implique l'union. Aucun courant ne peut passer s'il n'y a pas une source émettrice et un canal récepteur. Tout ce qui peut nuire à la transmission du message ou à l'union entre l'émetteur et le récepteur est un obstacle à la communication. Parmi ces obstacles on retrouve:

SE FERMER OU BOUDER

Taire ses sentiments, ses désirs; garder pour soi ses émotions, ses frustrations sont les meilleures façons de détruire la plus belle relation. On se ferme par peur de faire de la peine, de causer du souci à l'autre ou encore pour ne pas créer de conflits. Ce qui risque d'arriver, c'est que le partenaire de celui ou celle qui se ferme ressentira un malaise, mais ne comprendra pas l'objet du malaise. N'ayant pas d'explications, il pourra interpréter le message non verbal de manière erronnée.

Mes deux premiers conjoints étaient du genre à se fermer lorsque quelque chose n'allait pas. Parfois sans raison apparente, leur langage non verbal me traduisait de l'impatience ou de la frustration. En bonne visuelle que je suis, je me demandais: «Qu'est-ce que je lui ai fait, ou qu'est-ce que je lui ai dit qui n'a pas fait son affaire?» Lorsqu'une personne vit des sentiments ou des émotions disharmonieuses, même si elle ne les verbalise pas, elle les impose aux autres. Si, par exemple, une personne est affectée par des gaz intestinaux, tout son entourage en sentira les effets, même si elle ne le dit pas. Mais, si elle prévient son entourage, ces derniers s'ajusteront à ce malaise qui l'incommode. Si ton partenaire te dit: «Je me sens impatient, je ne sais pas ce qui m'arrive», tu sauras ce qu'il vit, et tu l'accepteras sans penser que tu en es responsable. Mais, tu feras en sorte de ne pas l'impatienter davantage. Le fait de se savoir accepté dans son sentiment d'impatience, de pouvoir le verbaliser, l'aidera à s'en libérer plus rapidement. Il y a des couples où l'un des partenaires peut bouder l'autre pendant des jours, quelquefois des semaines, voire des mois. Bouder ne peut que creuser un fossé de «mal-être» entre ces personnes. Au début, la personne boudée se sent très malheureuse; par la suite, elle finit par développer de l'indifférence. Il est important de comprendre que cette attitude est des plus destructives pour une relation de couple. Il est préférable de s'affronter loyalement que de se réfugier dans un mur de glace ou de bouderie.

Si ton conjoint te boude, brise la glace le plus rapidement possible en le touchant au niveau du coeur par des paroles qui lui exprimeront que tu tiens à une relation de couple harmonieuse.

Par exemple, tu peux lui dire: «Je comprends que dans ta colère ou dans ce que tu vis tu préfères te fermer. Mais, je veux que tu saches que je t'aime et que je tiens à notre couple. Si toi aussi tu y tiens, je t'attends dans notre chambre ou sur la terrasse pour que nous en discutions.» S'il persiste dans sa fermeture, tu sauras que tu es en présence d'un enfant-souffrant. Il te faudra attendre qu'il revienne dans son aspect adulte pour l'aider à prendre conscience de l'enfant qui l'habite, de l'inutilité et des dangers de cette attitude.

JOUER AUX DEVINETTES

S'attendre à ce que ton partenaire devine ce qui se passe ou ce que tu penses est une énergie perdue d'avance. Nombre de femmes, de par leur aspect «YIN», sont intuitives et se retrouvent avec des hommes «YANG» qui sont très rationnels. Comme elles ont une forte intuition, elles arrivent assez facilement à deviner ce qui ferait plaisir à leur homme mais elles s'attendent qu'en retour il en fera autant. Et c'est là qu'elles sont déçues. Quelquefois, elles iront jusqu'à lui faire des petites suggestions sous-entendues et seront déçues qu'il ne les ait pas comprises.

Lorsque je fréquentais mon premier conjoint, j'espérais qu'il m'offre une montre pour Noël. Subtilement, je lui faisais savoir que la mienne commençait à me lâcher. Lorsque nous passions devant une bijouterie, je m'attardais à regarder les montres, lui montrant combien il y en avait de jolies. Mais jamais je ne lui ai dit que s'il voulait vraiment me faire plaisir pour Noël, ma préférence allait du côté d'une montre. Il m'a offert un bracelet en or, et j'en ai été profondément déçue et lui aussi. Que de déceptions j'ai vécues, espérant qu'il devinerait ce qui me ferait plaisir. Espérer que l'autre devine nos attentes, nos désirs, ne sert à rien. La communication franche et directe est encore la meilleure solution pour le bonheur du couple.

INTERROMPRE OU CHANGER DE SUJET DE CONVERSATION

As-tu déjà eu une conversation avec une personne qui ne te laissait pas terminer ce que tu étais en train de lui dire? Comment te sentais-tu? Imagine que tu rentres du travail et que tu te sentes un peu épuisé par les situations vécues dans la journée et que tu aies le besoin d'en parler à ton partenaire. Pendant que tu lui exprimes les sentiments douloureux qui t'habitent, il t'interrompt en te demandant: «Es-tu passé chez le nettoyeur prendre mes pantalons?» Crois-tu que tu auras envie de continuer à lui partager ce qui t'était si difficile à exprimer? Que risque-t-il d'arriver? Il est probable que tu penses qu'il se soucie davantage d'avoir des pantalons propres que de savoir ce que tu vis. Pendant des années, je n'ai eu avec ma mère que des conversations superficielles. Car, sans même s'en rendre compte, elle avait cette manie d'interrompre ses interlocuteurs et même de changer le sujet de la conversation qu'on lui tenait. À cette époque, je me réfugiais dans ma frustration en me disant: «À quoi bon lui parler, elle ne nous écoute même pas!» Un jour, au lieu de me fermer à elle, je l'ai aidée à en prendre conscience. Devenue consciente, elle a fait des efforts pour se libérer de cette manie. Aujourd'hui nous pouvons avoir des conversations très intéressantes.

PRESSER OU BOUSCULER TON PARTENAIRE DANS CE QU'IL OU QU'ELLE VEUT T'EXPRIMER

Certaines personnes, plus particulièrement les hommes ayant peur de montrer leurs sentiments ou leurs émotions, ont parfois peur d'entendre ce que leur partenaire désire leur exprimer. Si tu lui fais savoir que tu as besoin de lui parler, il peut se tenir sur la défensive et te dire: «Fait ça vite, dis-le, ce que tu as à dire.» Si tu t'étais avancé sur la pointe des pieds pour lui parler, il y a de fortes chances que tu battes en retraite. Si tu montres à ton partenaire que tu as peur de lui parler, il s'arrangera pour te faire davantage peur, de façon que tu ravales ce qui pourrait le froisser ou du moins froisser son orgueil. C'est le moment de foncer dans ta peur, et surtout de ne pas te laisser impressionner.

J'ai rencontré plusieurs femmes en thérapie qui avaient peur de leur mari. Ces femmes, dans la grande majorité, avaient aussi peur de leur père. Lorsqu'elles voulaient faire quelque chose ou s'offrir quelque chose, elles le faisaient en cachette, ou elles se sentaient obligées de lui demander la permission. Si tu vis une relation de couple parent-enfant, tu verras ton conjoint comme ton père ou ta mère. Il serait grandement temps de faire grandir l'enfant en toi et de voir ton conjoint comme ton égal. Tu peux lui dire afin de t'en libérer: «T'ai-je déjà dit que j'avais peur de toi?» Il y a de fortes chances qu'il en soit tout surpris et qu'il te réponde: «Mais je ne t'ai jamais battue, jamais fait de mal.» Le fait de lui admettre ta peur t'aidera à le voir comme ton égal. Par la suite, au lieu de lui demander sa permission, tu prendras son opinion et tu l'informeras de tes intentions. Si tu le laisses décider pour toi de ce que tu dois faire ou ne pas faire, tu risques de vivre une relation dominant-dominé. Un jour où tu en auras assez, ça éclatera, soit dans ton corps par de l'arthrite, par un cancer ou autre, ou alors, tu te sauveras de ton dominateur.

CRITIQUER, RIDICULISER, ÊTRE SARCASTIQUE

Beaucoup de personnes critiquent, ridiculisent leur partenaire devant d'autres personnes, croyant, à tort, qu'en rabaissant l'autre, eux s'élèveront. Un jour, je rentrais de voyage avec l'une de mes amies. Son conjoint était venu nous chercher à l'aéroport. Il lui dit un beau bonjour mais sans plus, préférant peut-être les moments d'intimité pour lui exprimer sa joie de la revoir. Décue qu'il ne lui saute pas au cou comme elle l'aurait souhaité, elle n'en dit rien. Dans l'auto, alors que nous étions en route vers nos résidences, elle lui lança: «Tiens, un autre qui s'est fait transplanter une roche à la place du coeur!»

Plusieurs personnes, ne sachant que faire de leurs déceptions ou de leurs frustrations, attendent le moment de se venger en piquant leur partenaire devant d'autres personnes. Voilà un autre comportement des plus destructeurs pour un couple. Se faire critiquer, ridiculiser, rabaisser ou piquer devant les autres blesse davantage l'ego de la personne qui mettra plus de temps à guérir. Très souvent, ces personnes piquées ou rabaissées ne disent mot, mais elles placent le compteur sur le compte à rebours pour le temps qu'elles seront avec leur partenaire. Seule une personne ayant très peu d'amour-propre peut supporter de tels agissements.

S'EXPRIMER DANS LA COLÈRE OU L'AGRESSIVITÉ

La colère et l'agressivité ne peuvent jamais créer un climat de communion entre deux personnes, car c'est dans la colère que des mots irréfléchis et blessants sortent de nos lèvres. Aucune discussion valable ne peut être établie dans un climat d'agressivité. Mieux vaut calmer ses chevaux avant de leur indiquer la route à suivre. Si tu es en colère, tu peux simplement dire à ton partenaire: «Je suis en colère, je vais calmer mes chevaux et nous en discuterons.» Le fait d'accepter ton émotion sans rendre l'autre responsable t'aidera à t'en libérer plus rapidement. De plus, ton désir de faire la paix, de trouver une solution ou de dédramatiser une situation sera des plus salutaires à ton couple.

VOULOIR AVOIR RAISON

Quand on discute avec une personne qui veut avoir raison, mieux vaut lui laisser avoir raison. Lorsque l'on veut se justifier ou argumenter, c'est que l'on veut avoir raison à notre tour. *La sagesse hindoue enseigne que lorsque le vent souffle dans une direction, il est sage d'aller dans la même direction.* Lorsque dans un couple l'un est dans son ego, il fait nécessairement ressortir l'ego de l'autre. Il faut être très fort ou très sage pour demeurer centré et ne pas perdre la maîtrise. L'orgueil est un autre facteur qui détruit les couples. Ces personnes qui veulent toujours avoir raison finissent toujours par se retrouver toutes seules car personne n'est intéressé à discuter avec elles.

Si la discussion avec ton conjoint se déroule au niveau rationnel, fais-le descendre au niveau des sentiments, et restes-y, afin de l'y amener. Sinon tu perdras la maîtrise de la situation. J'ai eu dans un atelier de vingt et une semaines consécutives, un participant qui m'a beaucoup fait travailler sur mon ego. C'était un type très intellectuel, orgueilleux et très fortement dans sa tête. Son pouvoir consistait à m'amener dans ma tête (niveau rationnel) pour m'affronter. Lorsque je me laissais prendre à son jeu, je perdais tout le groupe, non pas qu'il partait, mais il s'installait un malaise que j'étais à même de ressentir. Quand j'allais plus profondément dans mon coeur, alors qu'il tentait de m'amener dans ma tête, il perdait la lutte et se ralliait à tout le groupe. Quel travail! Quand je quittais le groupe, je remerciais le ciel pour ce participant qui me faisait travailler sur mon ego. Il m'a beaucoup aidée à travailler avec des personnes qui discutent au niveau de leur tête. Si tu as un conjoint de ce genre, peut-être as-tu besoin de travailler au niveau de ton orgueil? Surtout n'essaie pas d'avoir raison à ton tour, tu lui donnerais du pouvoir et c'est ce dont l'ego se nourrit.

DONNER DES CONSEILS NON DEMANDÉS

Parfois ton partenaire désire te partager ce qu'il vit pour le simple beosin de le partager. Il est important de faire la distinction entre un besoin **d'être écouté** et un besoin **d'être aidé**. Si tu l'écoutes bien, tu seras en mesure de faire la différence, à savoir: te demande-t-il de l'aide ou te partage-t-il ce qu'il vit? Beaucoup de personnes, lorsqu'elles en voient une autre vivre des difficultés ou avoir de la peine, s'empressent de l'aider. Cette aide peut s'avérer inutile et parfois même dénigrante pour l'autre. Donner des conseils non demandés est subtilement une forme de jugement qui peut amener la personne qui les reçoit à se sentir inférieure, ou encore à se rebeller. Souviens-toi qu'**un conseil qui n'est pas demandé n'est jamais apprécié.** Demande plutôt à la personne: «Est-ce que je peux t'aider?» Si elle te répond: «Je ne sais plus quoi faire, j'aurais besoin que tu m'aides à y voir clair.» Alors vas-y de ton mieux. Si elle te répond: «Non, je sais que ça va s'arranger.» Laisse-la libre de vivre ses expériences.

DONNER SES PROBLÈMES AUX AUTRES

Il y a des personnes qui te demandent continuellement de l'aide. Si tu les aides à trouver des solutions à leurs problèmes, elles trouveront des problèmes à tes solutions. En fait, elle ne veulent pas d'aide, elles veulent l'attention que leur procurent leurs problèmes.

J'avais une amie qui me téléphonait tous les lundis pour me dire comment son mari était bête et méchant. Elle me racontait qu'il l'avait battue, ou encore qu'il lui faisait des scènes de jalousie, l'accusant de l'avoir trompé et autres stupidités du genre. C'était à l'époque où je travaillais en microbiologie. Je manquais de notions de psychologie en ce qui concerne les relations d'aide. Cependant, dans mon âme samaritaine, j'essayais par tous les moyens de l'aider, lui offrant mille et une suggestions, l'aidant à faire face à sa situation, à envisager une séparation. Rien à faire. Le lundi soir, j'entendais le même disque au bout de la ligne. Un jour où j'en ai eu assez, je lui ai dit: «Tu sais, je crois que tu aimes ça, un homme bête et méchant.» Toute surprise, elle m'a répondu: «Pourquoi est-ce que tu me dis ça?» J'ai enchaîné en lui disant: «Si tu n'aimais pas ça, tu ferais quelque chose pour que ça change!» Elle s'est fâchée sur le moment, mais le téléphone n'a plus sonné le lundi soir. Quelques mois après, j'ai appris qu'elle l'avait quitté, et elle m'a rappelée cette fois pour me dire MERCI.

Quand une personne se décharge de ses problèmes sur toi, tu te vides de ton énergie et tu ne peux nullement l'aider. Partage tes problèmes autant que possible avec des personnes qui peuvent t'aider. Évite de te décharger continuellement le coeur sur ton partenaire ou les personnes qui te sont proches. Ton conjoint ne supportera pas bien longtemps de se faire vider (même inconsciemment) de son énergie avec tes problèmes. Ce qui risque d'arriver, c'est qu'il te fuie pour conserver ses énergies. Aucun conjoint ne peut être un thérapeute valable bien longtemps. Si tu n'es pas en mesure de t'aider, consulte un professionnel dans le domaine. Ainsi, tu aideras davantage ton couple en recevant une aide extérieure.

COMMENT ÊTRE UN BON ÉMETTEUR OU COMMENT BIEN EXPRIMER CE QUE TU PENSES, DÉSIRES OU RESSENS À TON PARTENAIRE?

La communication entre deux partenaires partageant une relation intime ne semble pas avoir beaucoup évolué au cours des siècles, .malgré les multiples progrès réalisés dans le domaine des télécommunications. Il est parfois plus facile de converser avec une amie à l'autre bout du fil à Tokyo, que de parler à son partenaire assis à la table à côté de nous. Comment l'expliquer? Les partenaires vivant ensemble ont parfois l'impression de s'être tout dit l'un à l'autre. Chacun connaît l'autre et ne voit pas la nécessité de lui partager ses pensées ou ses sentiments. Il se renfrogne dans son coin, pensant: «Elle me connaît, elle sait que des fois je ne suis pas parlable», au lieu de lui dire: «Excuse-moi j'avais besoin de me retirer afin d'être seul avec moi-même», ou encore elle lui demande: «Est-ce que tu m'aimes?» Il répond: «Ah! T'es fatiguante! Arrête donc tes histoires!» au lieu de: «Tu as besoin d'entendre que je t'aime? Oui je t'aime.» Parfois les partenaires ont peur de révéler leurs sentiments profonds à l'autre par peur d'être jugés, critiqués ou encore que l'autre s'en serve pour le piquer lors d'une petite vengeance, ou encore que son partenaire révèle à d'autres ce qu'il lui avait confié secrètement. Quand l'un des conjoints partage quelque chose d'intime sur l'oreiller et qu'il l'entend répéter par un tiers, il pense: «Si elle n'est pas capable de garder ce que je lui dis, elle ne saura plus rien désormais.» La peur que l'autre se fâche ou se sente frustré contribue également à ce que les partenaires préfèrent ne rien dire plutôt que de risquer de créer un conflit.

Lucie est mariée à Bruno qui a un problème d'éjaculation précoce. Lucie veut lui exprimer qu'elle se sent perdante lors de leurs échanges sexuels, et ce, en vue de trouver des moyens pour que les deux soient gagnants. Si Lucie tente d'aborder ce sujet et Bruno lui dit: «Si t'es pas contente va te trouver un autre homme», que risque-t-il d'arriver? Ne se sentant pas accueillie dans ce qu'elle veut lui exprimer, la peur de le fâcher ou de l'insulter la fera se taire et ce, jusqu'à ce qu'elle en ait assez. Graduellement, elle se fermera à leur intimité et quelquefois, elle pourra le piquer devant les autres sur ses performances sexuelles.

D'autres pensent que leurs partenaires ne peuvent pas les comprendre. «À quoi bon lui dire ce que je ressens, il tourne tout au ridicule. Il est incapable de comprendre ce que je vis. Il me dit que je me plains tout le temps.» Que de personnes se ferment à l'expression de leurs sentiments lorsque l'autre, ne sachant que faire, ou craignant une montée d'émotions, préfère tourner la situation au ridicule ou arrêter le flot de sentiments qu'il se sent incapable d'accueillir. Nous voyons ici l'importance de l'écoute attentive, de l'accueil empathique et sans jugement envers l'autre pour qu'il ose révéler ses sentiments, ses pensées et ses désirs les plus profonds. Sans cet accueil, la communication demeure très superficielle. On se parle de la pluie, du beau temps, des enfants, des voisins, des cousins, des beaux-parents. On parle des autres mais pas de soi. On parle d'autres choses que de ce qui nous concerne. On évite les sujets trop engageants et graduellement on redevient des étrangers. Voilà pourquoi j'ai débuté ce chapitre par «Comment bien écouter l'autre?»

COMMENT BIEN EXPRIMER TES PENSÉES, TES DÉSIRS ET TES SENTIMENTS?

Sois le plus précis possible dans ce que tu désires passer comme message, surtout si ce message est important pour toi, et utilise le pronom «JE».

- «Je me sens...»
- «Je souhaite...»
- «J'ai remarqué...»
- «Je pense...»
  au lieu de:
- «Tu devrais...»
- «Tu penses peut-être...»
- «Nous serions mieux si...»
- «Nous pourrions...»
- «On dit que ...»
- «Il paraît que...»

Évite de verbaliser la pensée de l'autre ou de décider pour l'autre en l'impliquant avec toi dans les «nous» ou les «on».

SOIS VRAI ET SINCÈRE

Les jeux, les comédies n'amènent jamais leurs acteurs bien loin. Une personne me partageait qu'elle jouait le jeu de la femme comblée dans ses relations sexuelles avec son mari pour qu'il se sente «supermâle». Après quelques années de ce jeu où elle ne ressentait en réalité que très peu d'excitation, et pratiquement jamais d'orgasme, elle s'était prise à son propre piège ne sachant plus comment sortir de cette comédie pour arriver à avoir des relations satisfaisantes. Où était la solution? Se taire ou révéler le pot aux roses? La meilleure solution était encore de lui dire la vérité, de lui expliquer pourquoi elle avait utilisé ce stratagème et lui montrer son désir d'être bien avec lui.

DEVONS-NOUS TOUT RÉVÉLER À NOTRE PARTENAIRE?

Dans le cas précédent, taire la vérité aurait créé un malaise grandissant dans ce couple. La révéler était préférable. Mais quelquefois, il peut être plus néfaste que favorable à un couple de révéler un secret qui ne peut en rien être utile à une meilleure entente.

Supposons que le mari de Nancy a déjà eu un échange sexuel avec la soeur de celle-ci. Aujourd'hui François est heureux avec Nancy. Ils ont une vie des plus agréables. À quoi servirait de révéler ce secret qui appartient au passé et qui risquerait d'assombrir, ne serait-ce que temporairement, la quiétude de leur ménage? Cependant, si tu as eu une aventure, que tu te sens faux et que ce secret t'empêche d'être bien avec toi-même et avec ton partenaire, mieux vaut lui en parler. Certaines personnes s'objectent en répondant: «Si je lui dis, ce sera fini entre nous.» Si un couple ne peut se comprendre ou se pardonner, si leur «amour» ne tient qu'à quelques fils de fidélité, ce couple n'est pas très solide. Il lâchera à la première occasion. Mieux vaut le savoir maintenant que dans dix ans. Se révéler à l'autre de manière honnête est la meilleure façon d'établir une relation de confiance. Le développement d'une véritable complicité entre deux partenaires est fondé sur la capacité que l'on a de s'ouvrir, de partager ses pensées, ses sentiments, ses émotions sans peur d'être jugé par l'autre, de le décevoir, de lui faire de la peine ou de le perdre. Il n'y a pas que verbalement que l'on peut communiquer avec son partenaire, mais également par un regard de bienveillance, des gestes de tendresse. On peut aussi se donner des codes à certains moments.

Dominique et Gaétan s'étaient donné le code rouge lorsque l'un deux avait besoin d'être seul. Quand Gaétan plaçait sa cravate rouge sur la porte de son bureau, Dominique respectait ce besoin de solitude et d'isolement. Quand une cravate bleue la remplaçait, le silence pouvait être rompu. Dominique faisait de même avec un foulard. Ce code bien accepté des deux leur permettait de dire: «J'ai besoin que tu me laisses seul», sans frustrer l'autre.

La communication peut se faire comme un jeu entre deux partenaires qui désirent mieux se comprendre et faire de leur relation un puits où chacun peut puiser des forces, des énergies pour avancer sur la route de la réalisation de soi.

CHAPITRE XII

L'AMITIÉ ET LA COMPLICITÉ DU COUPLE

«L'amitié est le jardin dans lequel peuvent fleurir les roses de l'Amour.» C. R.

L'Amour ne se manifeste pas de façon continue. C'est pourquoi il est souvent comparé à une rose qui, bien que très belle, n'en demeure pas moins éphémère. Mais une roseraie voit continuellement éclater de nouveaux bourgeons de roses. Cette roseraie, c'est le jardin de l'amitié. Sans ce jardin, il n'y aura pas d'autres roses. C'est ce qu'on appelle souvent l'amour feu de paille. **Comment cultiver le jardin de l'amitié?**

Pense à ton(ta) meilleur(e) ami(e) ou encore à des personnes que tu considères comme telles. Qu'apprécies-tu dans cette amitié? Demandes-tu à cette personne d'être ton ami exclusif? Peux-tu compter sur cette personne en cas de besoin et elle sur toi? Te sens-tu vraiment toi-même en sa présence ou cherches-tu à lui plaire? N'es-tu pas heureux quand tout va bien pour elle? La laisses-tu libre de vivre des expériences en dehors de votre amitié? Peux-tu avoir confiance en elle lorsque tu lui livres tes secrets? T'accueille-t-elle sans jugement dans tout ce que tu es et dans tout ce que tu vis? La vraie clé d'une belle amitié, c'est la profondeur qui se développe en faisant des choses ensemble. Des choses qui demandent des efforts, de l'entraide, où chacun est lui-même, vrai et authentique, sans qu'aucun ne cherche à dominer l'autre, mais où les deux créent un climat de joie, de compréhension et de complicité.

Voici sept attitudes intérieures qui faciliteront le développement de l'amitié entre ton partenaire et toi.

1. L'écoute en profondeur

Cela signifie écouter à partir du plus profond de soi et pas seulement avec sa tête. Écoute qui rejoint le vécu de l'autre, pour essayer de percevoir, de voir ce qu'il peut ressentir au-delà de ce qu'il exprime.

2. L'acceptation inconditionnelle et le non-jugement

L'acceptation inconditionnelle implique d'accepter l'autre dans tout ce qu'il est, dans ses forces comme dans ses faiblesses. Désapprouver ou condamner le vécu intérieur de quelqu'un, c'est le piétiner dans ses entrailles. Inévitablement, dans un réflexe de protection et de survie, il se durcit, se rétracte et cesse de s'ouvrir. Pire, il se dévalorise et se referme sur lui-même. Par le passé, peu de personnes ont été acceptées de manière inconditionnelle et sans jugement. La plupart ont vécu les reproches, les critiques, les jugements. On nous demandait d'être parfaits. C'est ce que par la suite, on se demandait à soi-même et que l'on imposait aux autres. Il est plus facile d'accepter l'allure «punk» chez son voisin que chez son propre fils. Il en va de même avec son conjoint. Tant que cela ne touche pas à notre ego, à nos valeurs ou à nos schèmes de pensées, tout se passe bien mais lorsque cela froisse notre ego, c'est une autre paire de manches.

J'ai moi-même tellement voulu changer mes conjoints. Je me souviens, lorsque j'ai connu mon premier mari, je pensais: «Mon Dieu qu'il s'habille mal.» Un ami m'a dit à ce sujet: «Ce n'est pas important. Ce qui compte, c'est que tu t'entendes bien avec lui. Lorsque vous serez mariés tu le déguiseras à ton goût.» C'est bien ce que j'ai fait. Lorsqu'il travaillait ou sortait seul, j'étais indifférente à sa façon de se vêtir, mais, lorsqu'il m'accompagnait, surtout dans ma famille ou chez des amis, mon ego voulait entendre: «Regarde comme il a l'air bien, le mari de Claudia!» Si encore je m'étais contentée de vouloir le changer seulement dans sa tenue vestimentaire, mais je suis allée bien au-delà. Je voulais qu'il change de coiffure, qu'il s'exprime davantage, qu'il s'occupe davantage de moi, qu'il soit plus souvent à la maison, etc. Et dans tout cela, je le critiquais. Je ne savais pas et ne me posais pas la question suivante: «De quoi l'autre a-t-il besoin?» Ma question était plutôt: «Qu'est-ce que j'attends de mon conjoint?» Je ne l'acceptais pas tel qu'il était, je voulais le changer afin qu'il soit ce que je souhaitais. Je l'ai quitté parce qu'il ne répondait pas à mes critères et j'ai fait la même chose avec le suivant. J'ai aussi agi de la même façon avec mes enfants. Que d'histoires nous avons eues, que de résistances j'ai rencontrées jusqu'à ce que je lâche prise et que je les accepte tels qu'ils sont, même si cela ne me plaît pas toujours.

Aujourd'hui, ma fille Karina ne me résiste plus, et s'exprime en ces mots: «Ma mère, c'est mon amie.»

3. Le respect de la liberté de l'autre

On devient soi-même en exerçant sa liberté, et en choisissant ses actes. Respecter la liberté de l'autre parce qu'on a foi en lui, c'est lui donner sa chance d'être lui-même.

Mais jusqu'où pouvons-nous laisser la liberté à notre conjoint? Devons-nous opter pour le mariage ouvert, ou une relation exclusive n'est-elle pas préférable?

Mon second père avait coutume de dire: «Le plaisir défendu est le plus invitant.» Si je vis une relation de couple et que je me sens limité, il est plus que probable qu'à un moment ou à un autre, j'aurai envie de dépasser ces limites. Certaines personnes évoluant à l'intérieur de ces limites ne s'autorisent pas à les franchir, mais vivent de profondes frustrations et déceptions, sans parler des fantasmes qu'elles entretiennent. C'est le plus souvent dans leur pensées ou rêves qu'elles franchissent ces limites. Ceux de l'autre clan qui favorisent le mariage ouvert sont à la recherche de leur véritable nature ou besoins. Ils cherchent en d'autres personnes ce qu'ils n'ont pas découvert en eux-mêmes. Il arrive que ces conjoints proposent à leur partenaire des échanges de couples ou la pleine liberté sexuelle afin de s'offrir à eux-mêmes cette pleine latitude. «Je suis ouvert à l'idée que tu aies un amant» (ainsi je me sentirai libre d'avoir les maîtresses que je désire sans que cela menace la sécurité du foyer que j'ai construit avec toi.) Où se situe l'équilibre entre la liberté qu'on s'accorde, ou celle que l'on accorde à son partenaire?

L'équilibre consiste à s'accorder la pleine liberté de vivre les expériences qui sont favorables à notre évolution. Il est préférable de chercher en soi, plutôt que dans les autres, qui nous sommes et ce dont nous avons besoin pour être heureux. Je peux très bien partager ce credo avec mon partenaire au sujet de notre liberté réciproque. «Je m'accorde la pleine liberté de vivre les expériences qui sont favorables à mon évolution. Je choisis de vivre avec toi, car je me sens bien avec toi. Tu es pour moi une merveilleuse opportunité de mieux me connaître, de grandir, de m'épanouir et de me réaliser. Je me sens parfaitement libre dans notre relation et je te laisse également libre.»

Quand on s'accorde la liberté de vivre les expériences qui nous sont favorabales, on investit davantage dans son couple. Car c'est le jardin où fleuriront les roses de notre amour et les fruits de notre bonheur sans que l'on se sente limités pour autant. Il peut arriver à l'un ou à l'autre de vivre une expérience sexuelle en dehors de sa relation de couple. Mais à ce moment-là, ce n'est pas pour le simple plaisir d'avoir «une partie de jambes en l'air», mais peut-être pour vérifier où l'on en est. Peut-être avons-nous besoin d'un changement? Peut-être avons-nous laissé la routine s'installer? Cet événement peut être accueilli comme une occasion de redéfinir nos besoins et nos objectifs de vie. Car un couple n'est pas coulé dans le ciment parce qu'il y a eu signature d'un contrat de mariage et échange d'anneaux. La vie de couple est un bout de chemin que l'on choisit de partager avec une autre personne. Lorsque cette personne et nous-même ne pouvons plus rien nous apporter de constructif, vaut mieux pousuivre sa route seul ou accompagné d'une autre personne avec laquelle nous pourrons avancer sur le chemin de notre évolution.

4. L'authenticité

Pour qu'une véritable amitié s'installe, il est important d'être consistant, vrai et authentique dans notre relation avec l'autre. Etre vrai implique d'être capable de se dire tout ce que l'on pense, ressent ou vit et ce, sans crainte de le blesser, parce qu'il peut nous accueillir comme nous le faisons nous même. C'est lorsque l'on vit une relation d'authenticité que l'on peut oser se lancer sur la route de l'affirmation de soi.

5. L'empathie

L'empathie implique un certain détachement. Lorsque l'on est empathique, on comprend ce que vit l'autre, mais sans le vivre soi-même, alors que lorsque nous sommes sympathique, nous partageons les émotions et les problèmes de l'autre. Par exemple: mon conjoint vit de la colère. Je l'accepte et le comprends dans sa colère, mais je ne me fâche pas pour autant. Mon conjoint s'inquiète au sujet de son emploi. Je comprends son inquiétude sans la faire mienne. Je serai ainsi davantage en mesure de l'aider si je n'entre pas dans son émotion.

6. La foi en l'autre

Combien de fois avons-nous décidé ou voulu à la place de l'autre? J'ai souvent dit à mes participants: «Dieu vit autant en l'autre qu'en toi.» Aie confiance en l'autre. Concentre-toi sur ses richesses intérieures, et non sur sa faiblesse du moment. Crois qu'il s'en sortira. Cela l'aidera davantage que tes pensées d'inquiétude. Très souvent, parce que nous manquons de foi en l'autre, nous réglons ses problèmes à sa place. Cela ne l'aide pas à régler ses problèmes par lui-même. Nous pouvons certes l'encourager, le conseiller, mais lui laisser assumer les responsabilités qui lui reviennent. *Lao Tseu disait: «Si tu veux nourrir une personne pour un jour, donne-lui du poisson. Si tu veux la nourrir pour toujours, apprends-lui à pêcher.»*

7. L'affection, la complicité, l'entraide

L'affection que l'on manifeste à l'autre de différentes façons nourrit les liens d'amitié et d'amour qui unissent un couple. J'ai vécu une merveilleuse relation de couple en évolution avec mon troisième conjoint et c'est par amour que je l'ai laissé partir pour qu'il puisse poursuivre sa route. Un matin je me suis levée après lui. Il avait déjà quitté la maison. En entrant dans la salle de bain j'ai trouvé, écrit avec la crème à raser dans le miroir, les mots: «Je t'aime.» Aucun cadeau si beau soit-il n'aurait pu me faire plus plaisir. Il s'agit parfois de gestes très simples qui peuvent faire tant plaisir: un petit mot sous l'oreiller, un déjeuner surprise au lit, une fleur inattendue, un rendez-vous en amoureux. Quelquefois, lorsque je rentrais, il avait préparé le repas ou avait fait le repassage. À d'autres moments, nous nous amusions à préparer le repas ensemble. Je faisais le plat principal et il préparait la salade et le dessert. Aucune tâche n'était pour moi une corvée, car nous l'accomplissions ensemble dans le plaisir de partager. Cela devenait un jeu, qu'il s'agisse d'un déménagement, de repeindre les pièces de la maison ou tout simplement de faire le ménage hebdomadaire ou l'épicerie. Plus un couple partage dans la joie d'être ensemble, plus ce lien d'amitié est profond, et plus il permet aux bourgeons de l'amour d'éclore. Et c'est à ce moment que l'on découvre ce qu'est vraiment l'amour.

CHAPITRE XIII

L'AMOUR DANS LE COUPLE

«L'amour est l'eau qui arrose le jardin de ta vie. Si tu cesses de t'en alimenter, tu perdras la vie». L'Amour selon les maîtres

L'amour est un profond sentiment qui hausse les vibrations de la personne qui s'en nourrit. L'amour transforme, embellit, rajeunit, apporte la joie, la paix et le bonheur. Ce très grand mot presque sacré fut malheureusement galvaudé. En français, le même verbe «aimer» décrit une multitude de sentiments différents. On l'utilisera autant pour exprimer ses goûts, ses préférences que ses sentiments.

En voici quelques exemples:

- J'aime la pizza.
- J'aime les voitures sports.
- J'aime ma mère.
- J'aime mon enfant.
- J'aime ce professeur.
- J'aime mon mari.

En anglais, on a le choix entre: «I like» et «I love.» Le premier s'utilise pour ce qu'on aime en général alors que le deuxième s'utilise lorsque l'on parle d'amour plus romantique.

LES GRECS UTILISENT TROIS MOTS POUR DÉSIGNER L'AMOUR:

Eros: d'où nous vient le mot «érotique». C'est la forme d'amour où l'on est attiré par la beauté des formes et des aspects.

Philos: d'où nous vient le mot «philosophie». C'est l'amour des connaissances, et tout ce qui touche l'amitié.

201

Agape: ce mot fait référence à la forme d'amour plus romantique, l'équivalent «I love» en anglais.

Il nous faut parfois expérimenter plusieurs expressions de l'amour pour découvrir l'amour véritable.

L'amour de soi est alimenté par le feu de la réalisation.

L'amour des autres est alimenté par le feu de la compassion.

L'amour romantique est alimenté par le feu de la passion.

La passion repose sur le désir de conquérir, de posséder ou «pas céder».

DIALOGUE ENTRE LA PASSION ET L'AMOUR:

La passion: «Je ne peux vivre sans toi»

L'amour: «Je suis heureux que tu existes»

La passion: «Si tu pars, je vais me suicider»

L'amour: «Si tu pars, je veux que tu saches que j'ai été heureux de vivre ces moments avec toi»

Résultats de:

La passion: conquête, possession, folie, désespoir.

L'amour: partage, entraide, compréhension, liberté.

L'AMOUR ROMANTIQUE

L'amour romantique est certainement la forme d'amour la plus recherchée particulièment par la femme. Les contes de fée, les petits romans d'amour, les romans-feuilletons, les chansons sentimentales, les films à l'eau de rose ont contribué à idéaliser cette forme d'amour. Dans l'amour romantique, il y a un détachement temporaire de la réalité, un état d'illusion où l'être aimé est mis sur un piédestal. L'amour romantique est une diversion très agréable pour une fin de semaine, une lune de miel, un moment privilégié dans une relation, mais ce n'est pas un mode de vie. Vivez d'amour et d'eau fraîche; vous crèverez de faim si vous renoncez à gagner votre pain. Tomber en amour est en soi une chute dans l'illusion qui te fait voir et entendre ce que tu désires.

Plusieurs femmes rêvent d'un prince charmant qui les transportera au pays merveilleux du romantisme. Lorsqu'elles fréquentent leur prince, elles sont de belles princesses maquillées, arborant un beau sourire et des yeux lumineux. Cette romance peut se prolonger jusqu'à la lune de miel. Mais, lorsque le couple s'installe dans son petit nid d'amour, la princesse devient la femme accaparée par ses responsabilités et qui se préoccupe beaucoup moins de son apparence et de son caractère. Elle n'a plus d'effort à faire pour conquérir son prince, il vit à ses côtés. Son prince se montre à son tour moins attentionné pour sa princesse. Graduellement elle commence à le trouver ennuyant avec ses nouvelles télévisées, ses longues heures supplémentaires au bureau. Lui, de son côté, la trouve moins séduisante qu'au moment où il la fréquentait. Il commence à la trouver critiqueuse parce qu'il laisse traîner ses choses. Lorsqu'ils se fréquentaient, elle ne faisait pas de cas du désordre qui régnait dans son appartement. Elle trouvait même amusant de se frayer un chemin jusqu'au lit pour assouvir leur passion mutuelle.

Si notre couple recherchait l'amour romantique, il est plus que certain qu'il vivra de profondes frustrations. Cela peut donner naissance à des relations extra-conjugales où l'on tentera de recréer avec un nouveau partenaire l'amour romantique bâti autour de rendez-vous secrets, où l'imprévisible sera le plus souvent présent; alors que dans une vie de couple, l'habitude s'installe rapidement.

L'amour romantique pourrait être défini comme un amour passager et superficiel, bien que très intense émotionnellement. Une vie de couple en évolution ne peut être basée sur ce type d'amour, parce que trop peu réaliste. Mais peut, à certains moments, être teintée de romantisme.

L'AMOUR ÉROTIQUE OU LE COUP DE FOUDRE

L'amour érotique est la recherche de la satisfaction des sens; l'accent est mis sur la beauté physique de la personne désirée. «As-tu vu le beau gars» ou «C'est une vraie beauté d'Hollywood».

Lorsque Marc a rencontré Mireille, ce fut le coup de foudre. «Lorsque j'ai vu Mireille la première fois, je suis tombé amoureux d'elle immédiatement. Elle était tellement excitante, attirante et belle, que j'en ai perdu la tête», disait-il. Déjà marié, père de deux enfants, il a demandé le divorce peu de temps après avoir fait la connaissance de Mireille. Moins d'un an après s'être remarié avec Mireille, il avait des aventures avec d'autres femmes, car sa flamme s'éteignait de jour en jour. Voilà qu'il reprochait à Mireille un petit ventre, des débuts de cellulite, alors qu'au début, elle était parfaite à ses yeux. Son amour étant relié à la perfection de la beauté, plus il lui découvrait des petits côtés déplaisants, plus l'intensité de son amour diminuait.

Certaines femmes ont tellement peur d'être aimées pour leur apparence, qu'elles se refusent à être jolies ou à se mettre en valeur. La mère de Cynthia voulait que sa fille porte une prothèse temporaire pour corriger un défaut dentaire qui la désavantageait. «Avec des dents pareilles, tu ne trouveras jamais un mari», lui dit-elle. C'était la phrase clé pour que Cynthia renonce à la prothèse. «Je ne veux pas d'un homme qui m'aimera pour mes dents. Alors c'est non», lui répondit-elle.

L'AMOUR VALORISANT

L'amour valorisant consiste à rechercher un ou des prétendants qui rehaussent notre valeur. On peut jouer le don Juan ou la femme fatale en s'entourant d'un maximum de prétendants qu'on peut rejeter du revers de la main. Cette forme de pseudo-amour consiste à satisfaire l'ego qui pense: «Je peux avoir les partenaires que je veux, je suis donc irrésistible.»

Ou encore on peut s'en tenir à un seul partenaire qui par ses titres, son argent, sa profession et même sa couleur nous donne l'impression d'être plus en valeur nous-même.

- «Je suis la femme du docteur untel.»
- «Nous possédons deux propriétés de prestige.»
- «Mon mari travaille au consulat du Canada.»
- «Ma femme a un salon de coiffure.»

Certains hommes de race noire recherchent la compagnie de femmes blanches pour cette raison.

C'est le type d'amour que secrètement plusieurs de nos mères espéraient pour leur fille. Je me souviens du commentaire que m'avait passé ma mère lors de la première rencontre avec celui qui allait devenir mon mari. Elle me dit: «Il porte un veston de qualité.» Elle avait pris soin d'examiner sa veste pour savoir si c'était un homme bien, s'il avait de l'argent, etc. Ne parlait-on pas de trouver un bon parti?

Ces amours valorisants s'avèrent parfois superficiel et nous font entrer dans un rôle où l'on veut sauver les apparences. Quand on est malheureux, même une Mercedes ne peut nous consoler.

L'AMOUR DÉPENDANT

L'amour dépendant ou amour infantile appelé aussi «amour fou» est une forme d'amour irraisonné de par sa nature. L'amoureux a une si piètre opinion de sa valeur qu'il est prêt à faire n'importe quoi pour conserver l'affection de l'être qu'il ou qu'elle aime. C'est pourquoi cette personne n'hésitera pas à payer le prix de sa dépendance. À ce sujet, on pourra lire l'excellent livre de Robin Norwood «Ces femmes qui aiment trop». Ce livre aurait tout aussi bien pu s'appeler «Ces femmes dépendantes affectivement» ou encore «Ces femmes qui ne s'aiment pas assez». L'ego préfère croire qu'il aime trop, plutôt que de penser qu'il n'aime pas suffisamment. Car l'amour dépendant n'est pas de l'amour mais une forme d'égocentrisme. Cette forme d'amour donne souvent naissance à la possession, à la jalousie et au désespoir. Beaucoup de tentatives de suicide ont pour origine cette forme d'amour. Elle est associée à la recherche d'affection de la mère et du père absents pendant l'enfance. Elle est le signe d'une immaturité affective reliée à l'enfant carencé qui vit dans l'adulte. Ce n'est qu'en atteignant une certaine maturité affective, que l'on peut savoir ce qu'est vraiment l'amour.

L'AMOUR MATERNEL

L'amour maternel est la forme d'amour qui tend à protéger ou à materner l'autre. Cette forme d'amour est toujours pleine de bons

205

conseils et d'attention. Elle peut être vécue autant par un homme que par une femme. Le partenaire qui materne l'autre choisira ses vêtements, lui coupera les cheveux, lui apportera une cuillerée de sirop à la moindre petite toux. Il vérifiera si sa protégée a suffisamment d'argent de poche lors d'une sortie, si sa voiture a suffisamment d'essence, etc. C'est la mère qui dit lorsque l'on quitte la maison: «Sois prudente», alors que ça fait quinze ans que l'on conduit. C'est celle qui vient vérifier dans le réfrigérateur si nous avons suffisamment de nourriture pour la semaine, et qui s'empresse de le remplir de ses bons petits plats même si on lui dit que de toute façon, on ne mange jamais à la maison. C'est une forme d'amour où la personne se mêle de ce qui ne la concerne pas et ce, au nom de l'amour. Les «tu devrais» ou «tu ne devrais pas» sont très fréquents.

Cette forme d'amour vécu avec un conjoint peut être très agréable au début, surtout pour la personne qui a manqué d'affection, mais il finit toujours par être étouffant et dominateur à la longue.

Plusieurs thérapeutes vivent envers leurs patients ce type d'amour. Un jour, l'une de mes participantes, qui est elle-même thérapeute, me reprochait d'avoir laissé tomber une participante que je suivais en thérapie depuis des mois. Elle m'a dit: «Moi je les aime ces personnes qui souffrent. Plus elles sont en-dessous du plancher, plus je les aime.» Je lui ai demandé: «Aimes-tu aussi celles qui sont au-dessus du plancher?» La motivation qui amène la personne à entretenir ce type de relation est très souvent, bien que parfois inconsciente, un désir de dominer et de posséder l'autre. L'enfant ou la personne maternée constitue un objet naturel de satisfaction dans la mesure où il est démuni et complètement assujetti à sa volonté. En répondant à ses besoins, cela la rend importante et lui donne le sentiment d'être utile, voire indispensable à l'autre. Cela peut même conférer un sens à sa vie, une raison d'être.

Mais l'enfant doit grandir. L'essence même de cet amour est de l'aider à grandir et à se détacher afin qu'il atteigne sa pleine autonomie. Le garder dans cette relation de dépendance par le maternage n'est pas l'aimer, c'est le posséder pour les satisfactions que l'on en retire.

En thérapie, l'amour maternel est essentiel pour accueillir l'enfant qui souffre en la personne qui consulte. Mais dès que l'enfant est rassuré, que l'adulte reprend sa place, le thérapeute doit assitôt assurer le transfert c'est-à-dire remettre à l'autre la responsabilité de s'aider. Car, de par sa nature, l'amour maternel confère une inégalité des rôles, l'un étant à la merci de l'autre de par ses besoins.

L'AMOUR RATIONNEL

L'amour rationnel est caractérisé par la recherche d'un conjoint qui rencontrera le maximum de nos critères. On peut penser à la recherche qu'a faite le Prince Charles pour découvrir celle qui devait devenir sa femme. Elle devait être vierge, de bonne et riche famille anglaise, posséder des qualités spécifiques, etc. De par leur côté rationnel «YANG», les hommes sont en général davantage portés vers cette forme d'amour. Si le sentiment n'intervient pas, cela peut donner lieu à des mariages d'affaires ou platoniques. Dans plusieurs pays dont l'Inde, cette forme d'amour est très fréquente. Mais là, ce sont les parents qui choisissent le conjoint pour le garçon ou la fille. On montre quelquefois au prétendant une photo de la personne choisie en lui décrivant ce qu'on connaît de ses traits de caractère, etc. La personne peut refuser la rencontre. Si elle accepte, elle rencontrera son conjoint une ou deux fois avant le mariage, y compris la journée de ses fiançailles. J'ai observé que plus la famille est à l'aise plus il y a de chances que ces couples soient heureux. Cela s'explique probablement par l'éducation et la préparation que chacun reçoit, alors que dans les familles pauvres, le manque d'instruction et la pauvreté peuvent transformer l'homme en tyran.

L'amour rationnel, s'il n'écarte pas les sentiments, est un amour plus mature et plus réaliste en soi.

L'AMOUR AMITIÉ

L'amour amitié naît en général très graduellement. Chacun des partenaires apprécie la présence de l'autre, les longs échanges de confidences, l'entraide qu'ils s'apportent mutuellement. Cette forme d'amour est en général sans heurts, donc émotionnellement sécurisante. Chacun y trouve son compte. Les fréquentations sont habituellement longues avant de prendre une coloration sexuelle. Dans ce type de relation, les partenaires sont avant tout des amis. Leurs fréquentations peuvent durer des années, jusqu'à ce que l'un des partenaires dise à l'autre: «Qu'est-ce qu'on fait? Est-ce qu'on se marie ou si on s'installe ensemble?» Puis les enfants arrivent tout naturellement. En général, ces relations sont les plus stables et les plus prolongées. Elles manquent quelquefois d'un peu de passion, mais la sécurité affective prime sur le besoin de passion. Ils exigent peu l'un de l'autre car leur amitié solide ne les fait pas craindre de se quitter. Si l'un des deux a une aventure sans lendemain, l'autre passera facilement l'éponge sur l'événement, car dans cet amour le respect de la liberté de l'autre est présent. Quelquefois, pour leur évolution personnelle, un besoin de changement peut les amener à se séparer. Ils n'en demeurent pas moins de très grands amis, acceptant facilement le ou la nouvelle partenaire de l'autre.

L'AMOUR PAR LEQUEL ON GRANDIT

L'amour, comme nous venons de le voir, est une force d'attraction. Sans cette attraction, aucun amour ne serait possible. Cette attraction a pour but la synthèse ou la fusion. Nous avons vu qu'au commencement[1] il y a eu fission (séparation). Dieu sépara le ciel «YANG» et la terre «YIN». Séparation d'Adam «YANG» et d'Eve «YIN». La fusion consiste en la réunion des éléments «YIN et YANG». Elle s'explique par cette force d'attraction que seul l'amour permet, puisque l'amour rapproche. Regardons deux êtres qui s'aiment. Plus leur amour est fort, plus cette force d'attraction sera en jeu, et plus ils auront envie de ne plus faire qu'un, en s'unissant par le geste sacré de la sexualité.

Cette réunion, c'est l'union de ce qui était en dualité. La dualité n'est rien d'autre que la complémentarité. Si nous saisissons bien cette réalité, nous comprenons que l'amour est une loi d'échange: donner et recevoir. C'est l'équivalent de la marée haute et la marée basse. C'est dans le mouvement continu, ajusté au métronome de la vie, que réside l'équilibre qui est harmonie. Lorsque l'on veut

---

1   Ici l'auteure se réfère aux paroles de la bible pour utiliser le terme au commencement car en réalité il n'y a jamais eu de commencement et il n'y aura jamais de fin. Il n'y a que le mouvement de l'Univers.

enfreindre ce mouvement, nous en sommes affectés à divers degrés, et au pire, c'est notre perte. Ce mouvement consiste à prendre et à relâcher, tout comme respirer, ce que nous faisons de façon instinctive, et qui est vital pour nous.

L'air que l'on respire est amour. Nous devons le retourner pour nous ajuster encore une fois sur le mouvement de la vie et de l'Univers. Qu'arriverait-il si une personne, par peur de ne plus en recevoir, ne voulait pas relâcher l'air qu'elle a inspiré? Ce serait sa mort à coup sûr.

Le soleil est amour. Il donne à la terre sa chaleur et sa lumière. Regardons comme la nature s'ouvre et rayonne de beauté. Le tournesol en est un excellent exemple, puisqu'il se tourne du côté du soleil. C'est la manière qu'a la nature de redonner au soleil. Même le chat qui se couche au soleil redonne au soleil par l'appréciation qu'il lui offre. L'être humain rayonnant ou radieux est celui qui rend au soleil ce qu'il reçoit. C'est pourquoi il embellit et rayonne de santé. L'argent, les fruits de la terre, les biens matériels font partie de cette loi d'échange. J'ai souvent dit qu'il fallait apprendre aux pauvres à donner et aux riches à recevoir. Surpris? Tu as bien lu. Si une personne, de par sa pauvreté et la pitié qu'elle inspire, ne fait que prendre et ne rend rien, elle s'appauvrit de plus en plus. Même le plus pauvre a toujours quelque chose à donner (ne serait-ce qu'un sourire ou une fleur des champs) à celui qui est triste.

J'ai passé quelques temps en Inde où j'ai pu observer facilement les mendiants qui tendaient la main. Plusieurs d'entre eux, après avoir reçu le peu d'argent que je pouvais leur offrir, faisaient un geste d'habitude et s'empressaient de trouver un autre samaritain. Ou encore, ils nous donnaient quelque chose d'une main, et de l'autre bien tendue, nous harcelaient pour recevoir en retour. Il y en avait un cependant que je revoyais chaque jour où je me rendais aux enseignements du maître. La lèpre avait ravagé tous ses doigts et ses orteils. Que je lui donne ou non, il me saluait de ses mains mutilées et de son plus beau sourire. Celui-là avait reçu la sérénité, la pleine acceptation de ce qu'il vivait et le bonheur se lisait sur son visage, car on ne reçoit pas toujours ce qu'on a donné. Je peux donner mon temps et recevoir de l'argent. Je peux donner de l'amour et recevoir la gloire. De plus, on ne reçoit pas nécessairement de la personne à qui on a donné. Je peux donner mon amour à l'une et le recevoir de l'autre. Je peux aider une personne un jour, et lorsque je serai dans le besoin, ce sera quelqu'un d'autre qui m'aidera. Ce qui importe, c'est que je donne pour la simple joie de donner sans rien attendre en retour.

Dans une relation de couple, cette loi d'échange est essentielle pour que l'amour perdure. Regarde un couple au début d'une relation. Chacun veut apporter à l'autre et apprécie ce qu'il fait pour lui. Dès qu'ils s'unissent par les liens du mariage ou vivent en union libre, il arrive très souvent qu'ils commencent à s'inquiéter de recevoir. Voudra-t-elle faire l'amour avec moi ce soir? Va-t-il penser à notre anniversaire de mariage? Peu à peu, on oublie les mots gentils, les gestes d'affection du début. On laisse le quotidien, la routine s'installer. On veut que l'autre agisse selon nos désirs, qu'il réponde à nos attentes. L'autre devient un objet que l'on veut posséder et dont on veut tirer le maximum de satisfaction.

Quand l'échange cesse, l'amour cesse. Ne te préoccupe pas tant d'être aimé de l'autre, mais concentre tes énergies à t'aimer et à aimer les autres.

> *«Plus tu aimeras, plus tu seras aimé, et l'amour te couvrira de ses bénédictions. Tu donneras et recevras la vie en abondance. Près de toi les malades guériront. L'amour est la science de toutes les sciences. L'intelligence sans amour n'est que sottise.»* Tiré de «L'amour selon les maîtres».

Aucune joie, aucune paix, aucun bonheur ne peuvent exister sans cette loi d'échange. Sois attentif à ce qui peut rendre l'autre heureux sans t'oublier toi-même. Si tu dis: «S'il se montre gentil avec moi je le serai avec lui», ce serait comme dire à la terre: «Donne-moi d'abord tes fruits et je te donnerai les semences après.» Si tu veux recevoir, donne d'abord et comme la terre, on te rendra ce que tu auras donné. Voilà les bases de l'amour. Sans ces bases nous chercherons longtemps l'amour à travers différentes relations affectives déjà mentionnées. Et c'est très bien. Car c'est en cherchant que l'on trouve. C'est en expérimentant que l'on découvre que l'amour va au-delà de tout ce qu'on a connu ou vécu.

LES DIFFÉRENTS NIVEAUX DE L'AMOUR

Le premier niveau de l'amour consiste en la découverte de l'amour de soi. Comme nous l'avons vu précédemment, l'amour de soi n'a rien à voir avec l'égoïsme ou l'égocentrisme qui sont les fruits de la peur pour sa survie. L'amour de soi est le premier pas dans la réalisation de soi et de ce qu'est vraiment l'amour. Cette première étape est fondamentale puisque **l'on ne peut aimer les autres que dans la mesure où l'on s'aime soi-même.** Ou si tu préfères, on ne peut aimer les autres plus que l'on s'aime soi-même, car:

c'est lorsque l'on est devenu tolérant envers soi que l'on peut le mieux l'être envers les autres;

c'est par la souffrance que l'on a vécue et que l'on a dépassée que l'on peut le mieux comprendre les autres;

c'est par les blessures que l'on a subies et dont on s'est guéri que l'on peut le mieux aider les autres à guérir;

c'est lorsque l'on s'est donné le droit de vivre que l'on peut le mieux aider les autres à vivre;

c'est par l'affection que l'on s'est donnée que l'on peut le mieux exprimer sa tendresse;

c'est par la peine dont on s'est consolé que l'on peut le mieux consoler les autres;

c'est par l'espoir que l'on a vu renaître en soi que l'on peut le mieux montrer le chemin de la libération;

c'est en reconnaissant ses propres faiblesses, ses propres erreurs, que l'on peut le mieux pardonner aux autres;

et c'est en étant bon envers soi que l'on peut le mieux être bon envers les autres.

Le second niveau d'amour est d'être capable d'aimer une autre personne comme soi-même.

Aimer les autres n'a rien à voir avec le fait de s'acheter de l'amour. Plusieurs personnes confondent «Je t'aime» avec «J'aime être avec toi. J'aime lorsque tu me dis des choses que j'aime entendre ou que tu fais des choses qui me font plaisir, etc.»

L'amour que l'on nous a appris dans notre culture et notre éducation était davantage axé sur le besoin de posséder l'autre: «C'est **mon** mari», «C'est **ma** femme», «**Ma** douce moitié», «Ce sont **mes** enfants». Cette forme d'amour possessif était des plus limitatifs.

«Pas question que **ma** femme aille en voyage sans moi puisque nous sommes mariés».

«Pas question que **mon** mari sorte avec ses copains le vendredi soir, il se doit d'abord à sa famille».

«Pas question que **mon** fils laisse ses études; tant qu'il ne sera pas en âge de travailler, il ira au collège, que ça lui plaise ou non».

«Pas question que **ma** fille sorte avec un Noir; tant qu'elle n'y renoncera pas, elle ne pourra pas sortir la fin de semaine».

Les possessifs «mon, ma, mes» égalent: «Tu m'appartiens et tu feras ce que je te dis, parce que je t'aime et que je veux que tu répondes aux attentes que j'ai envers toi.»

Aimer l'autre implique la liberté totale. La liberté, c'est avoir le choix. Cela n'exclut pas d'exprimer à l'autre sa propre vision des faits, ses craintes pour lui, son soutien pour l'aider à voir des aspects qu'il n'avait peut-être pas envisagés. Aimer l'autre implique le don gratuit. Beaucoup de personnes ont de la difficulté à recevoir, et ceci s'explique par le fait que quoi qu'elles fassent ou donnent, elles ne le font jamais gratuitement ou avec détachement. Elles attendent toujours quelque chose en retour, ne serait-ce que l'appréciation ou l'amour de l'autre. Si on donne avec attente, lorsque l'on reçoit, on se sent obligé de redonner. Et comme une grande majorité de gens ont peur d'être en dette envers une autre personne, ils préfèrent ne rien demander et ne rien recevoir. C'est quand on peut recevoir gratuitement, que l'on peut donner gratuitement. Aimer l'autre, implique la non-attente et le détachement. Laisserais-tu partir pour toujours, dans la joie et le détachement, la personne que tu aimes le plus au monde parce que cette personne doit vivre d'autres expériences dont tu ne fais pas partie? Cette personne peut être ton conjoint, ton enfant, ta mère, ton père, ton ami, etc. Si tu peux répondre oui à cette question, c'est que tu l'aimes vraiment. Vouloir le garder, ce n'est pas de l'amour, mais la recherche de ta propre satisfaction.

Aimer l'autre, c'est être heureux qu'il soit heureux même si pour cela nous ne pouvons nous attribuer aucun mérite, aucune contribution.

Aimer l'autre, c'est lui donner tout ce qu'on a découvert pour qu'il réussisse (on ne s'appauvrit jamais en donnant).

Aimer l'autre, c'est lui montrer la route que l'on a mis des années à chercher.

Aimer l'autre, c'est lui partager ce que l'on se réservait pour soi-même.

Aimer l'autre, c'est l'accueillir dans notre coeur sans jugement et sans critique lorsqu'il a enfreint les lois que l'on s'impose à soi.

Aimer l'autre, c'est lui pardonner à l'instant même où il nous blesse et nous injurie.

Aimer l'autre, c'est dire sincèrement bravo à sa victoire lorsque soi-même on a perdu.

Aimer l'autre, c'est lui dire au revoir ou adieu dans un sourire lorsqu'il veut partir.

Lorsque l'on peut vraiment aimer une autre personne dans son sens le plus profond, on peut atteindre le troisième niveau d'amour.

Le troisième niveau d'amour consiste **à aimer les autres.**

Jésus-Christ disait: «Laissez venir à moi les petits enfants». Comme nous comprenions tout en fonction de notre banque d'images, l'enfance était une question d'âge. Les enfants que Jésus-Christ désignait étaient l'immaturité de conscience qui nous fait poser des gestes dont nous aurons à subir les conséquences. Comme nous l'avons vu précédemment, c'est l'enfant en nous qui dans ses peurs, s'accroche, se ferme, se venge, blesse l'autre par ses paroles ou ses gestes. Va en prison, et tu verras que dans chaque prisonnier il y a un enfant qui souffre. Visite les psychiatries, et tu verras que dans tous les patients internés, il y a un enfant qui souffre. Rencontre ceux qui sont violents, tu découvriras un enfant qui souffre. Observe ceux qui critiquent, condamnent les autres, tu y trouveras un enfant qui souffre.

Le troisième niveau d'amour est d'accueillir, de comprendre, de consoler et d'aimer tous ces enfants qui souffrent. Quand on a intégré dans sa vie ce troisième niveau d'amour, s'ouvre alors la conscience du niveau d'amour suivant.

Le quatrième niveau d'amour consiste à vouloir que tous ces enfants souffrants soient heureux et vivent dans l'harmonie du paradis qu'ils ont reçu en héritage, mais que par leur inconscience ils ont gaspillé, pollué et menacé de destruction. Le quatrième niveau d'amour demande de contribuer à l'éveil de leur conscience, pour qu'ensemble, ils travaillent à sauver leur paradis.

Le cinquième niveau d'amour est d'être au service de l'Univers.

CHAPITRE XIV

SEXUALITÉ ET SPIRITUALITÉ

Nous avons déjà vu que la force d'attraction qu'implique l'amour a comme but la réalisation de la synthèse ou la fusion. Et c'est ce qui explique que lorsque cette force d'attraction devient très forte, il se crée une polarisation qui tend à rapprocher, jusqu'à ce que la fusion ou l'union se réalise. Ce phénomène est observable dans chacun des règnes de la nature, qu'il soit minéral, végétal, animal ou humain. Prenons un aimant et un morceau de fer. Plus nous les approchons l'un de l'autre, plus il devient difficile de les éloigner. L'énergie d'attraction qui donne naissance à la fusion et à l'énergie sexuelle sont en fait une seule et même énergie.

L'énergie sexuelle est la force de vie, la force créatrice de l'Univers. Malheureusement, à cause de tous les tabous qu'on nous a enseignés au cours de notre enfance, nous avons appris à bloquer cette énergie sexuelle qui est force de vie, de créativité et de dépassement.

La religion dans laquelle une grande majorité d'entre nous a été endoctrinée considérait que tout ce qui est sexuel en dehors des liens du mariage était péché, en commençant par la masturbation, jusqu'aux relations homosexuelles, etc. À tel point qu'on en est venu à penser que l'énergie sexuelle et l'énergie spirituelle étaient en opposition, alors qu'au contraire, elles sont une seule et même force.

Pourrait-il y avoir évolution sur Terre sans la sexualité? Toutes les structures existant dans l'Univers sont déterminées par la proportion et la disposition de «YIN» et de «YANG», tout comme chaque naissance est la résultante de l'union de gamètes mâles (spermatozoïdes) et femelles (ovules). Reconnaître et accepter cette énergie sexuelle, c'est reconnaître la force de vie en soi. Ceux qui tentent de refuser leur sexualité afin d'être plus spirituels, se

215

créent parfois un très grand conflit intérieur et finissent par bloquer l'énergie même qu'ils recherchent. Il n'y a que les maîtres et certains initiés qui peuvent transcender cette énergie.

Comme la grande majorité d'entre nous n'est pas rendue au stade de transcender cette énergie, mieux vaut apprendre à l'utiliser afin qu'elle nous soit le plus favorable possible dans notre évolution. Lorsque nous acceptons cette énergie comme étant présente et favorable, nous nous ouvrons à ce que nous ressentons. Nous permettons à cette énergie de circuler en nous, alors nous sommes vivants et près de tout ce qui vit.

Cependant, à cause de ces tabous et de l'ignorance des modes d'expression de la sexualité masculine et féminine, peu de couples vivent une sexualité où les deux partenaires y trouvent joie, bien-être et un sentiment de communion. La grande majorité y trouve frustration, crainte, nervosité, incertitude, sentiment de ne pas être compris dans ses besoins profonds, ou encore peur de perdre le contrôle, d'être dominé ou envahi par l'autre.

Et s'il y a un domaine où la communication est difficile, c'est bien celui-ci. Très souvent, les partenaires n'osent aborder ce sujet de manière directe à cause du conditionnement qu'ils ont reçu face à la sexualité. Il y a une gêne, un malaise, à moins qu'il y ait une peur de blesser ou de fâcher l'autre.

COMPRENDRE LA SEXUALITÉ MASCULINE ET FÉMININE

Au départ, rien ne distingue les enfants des deux sexes. La mère agit de la même façon avec son fils ou sa fille. Mais lorsque la phase de l'union symbiotique se termine, alors que l'enfant passe du stade de bébé à celui de jeune enfant, le processus de séparation se développe. C'est alors que l'**affectif** et l'**érotique** se séparent.

Afin de développer sa masculinité, le garçon devra renoncer à l'aspect affectif du lien d'attachement qui le faisait s'identifier à sa mère si bien que l'aspect érotique ou sexuel de l'attachement demeura intact. Pour la fille ce sera l'opposé, c'est l'**élément érotique** de l'attachement à une femme qu'elle devra couper pour le transférer plus tard à un homme. L'**attachement affectif,** plus important, demeurera intact, car elle peut continuer à s'identifier à sa mère. Cette cassure entre les éléments affectif et érotique de l'attachement pendant l'enfance aura des conséquences sur le comportement sexuel des hommes et des femmes.

Chez l'homme, en général, ce sera l'aspect érotique (les relations sexuelles) qui dominera, alors que chez la femme ce sera l'élément affectif. C'est ce que nous traduisent Monique et Pascal.

Monique croit qu'une relation sexuelle se prépare bien avant d'aller au lit, ce à quoi Pascal lui répond: «Moi je crois que si nous faisions plus souvent l'amour, nous serions plus près l'un de l'autre.» Monique poursuit en lui disant: «Non c'est le contraire. Si nous vivions dans notre quotidien de manière plus intime, nous ferions plus souvent l'amour.» Elle a besoin de l'affection pour s'ouvrir à la sexualité, et lui a besoin de la sexualité pour s'ouvrir au plan affectif. La femme, par exemple, se plaindra de la rareté des échanges affectifs avant les relations sexuelles, tandis que l'homme se plaindra de la rareté des échanges sexuels.

Cela peut nous faire comprendre la profondeur des rapports affectifs entre femmes sans crainte de se laisser aller à la sexualité. Alors que pour l'homme, dont les rapports affectifs dépendent souvent d'une relation sexuelle, toute relation affective avec un autre homme est en général ressentie comme une menace. C'est ce qui nous explique pourquoi les hommes s'étreignent rarement, se contentant d'une poignée de main ou d'une simple accolade.

Les homosexuels entretiennent rarement une amitié où le sexe n'intervient pas. Par contre, chez les lesbiennes, pour qui les relations sont davantage axées vers un lien affectif, il n'est pas rare que l'aspect sexuel soit absent.

En général, chez l'homme, les plans affectif et sexuel se confondent tandis que chez la femme, ces deux aspects sont bien délimités. Voilà pourquoi certains hommes préfèrent avoir des relations sexuelles entre eux. Elles peuvent être érotiquement stimulantes en les laissant libres d'émotions, ce qui n'est pas le cas lorsqu'ils se retrouvent dans le champ de la sensibilité féminine.

Un de mes participants, qui est homosexuel, me disait préférer de beaucoup les relations sexuelles avec les hommes, car il pouvait éprouver du plaisir sans pour cela avoir à faire montre de ses sentiments. C'est fort probablement la crainte de sa propre vulnérabilité qui lui fait préférer les rapports entre hommes.

Un thérapeute, avec qui j'ai travaillé en thérapie de groupe, avait des difficultés à prendre un homme dans ses bras. Ce qu'il craignait, c'était que l'expression de ses sentiments éveille sa sexualité et que cela le remette en question, à savoir: «Si j'éprouve une réaction sexuelle dans mon corps lorsque je laisse mon affection s'exprimer, peut-être suis-je homosexuel?» Lorsque je lui ai expliqué la différence entre la sexualité masculine et féminine, il a compris. Et se sentant rassuré, il put apprendre de la femme à délimiter ses aspects affectif et sexuel. À partir de ce jour, il réserva son aspect sexuel à sa femme et put laisser sortir son aspect affectif pour accueillir l'enfant souffrant chez ses participants en thérapie.

Il est très important, surtout chez les thérapeutes de sexe masculin, de faire cette distinction, car la relation intime que requiert une thérapie peut éveiller en eux le désir sexuel. Et lorsque l'on crée un lien sexuel, il devient très difficile de conserver un rôle d'aidant. Il est bien connu que nombre d'hommes thérapeutes entretiennent des relations sexuelles avec leurs patientes, ce qui est beaucoup plus rare chez les femmes.

Comment expliquer que chez la femme, ces deux aspects, sexuel et affectif, soient bien distincts? Cela s'explique par le fait que l'aspect érotique de l'attachement que la fille a envers sa mère doit être refoulé au cours de son enfance pour qu'elle puisse le transférer plus tard à un homme. Voilà pourquoi il est plus facile, en général, à une femme de refouler sa sexualité pendant une certaine période, ou encore de se fermer à son mari si elle ne reçoit pas l'affection pour l'éveiller. Son besoin affectif sera cependant très fort. Elle pourra le combler en se faisant donner un massage ou en entretenant des liens d'amitié intimes avec une ou d'autres femmes. Son besoin affectif étant satisfait, elle pourra facilement se passer de la sexualité, ce qui n'est pas le cas pour un homme puisque c'est dans les rapports sexuels qu'il va combler son besoin d'affection. Si cet homme se retrouve avec la femme précitée et qu'elle se ferme à lui, il pourra se tourner vers l'autosatisfaction au moyen de la masturbation ou entretenir une relation extra-conjugale.

Ou bien encore, il se retournera vers sa propre fille ou sa nièce et satisfera son besoin d'affection à travers des jeux ou des touchers sexuels.

Donc, en général, la femme a davantage besoin d'un échange affectif qu'érotique dans une relation sexuelle. Si elle n'y trouve pas ce lien affectif, elle n'y verra que du sexe et bloquera son énergie sexuelle en réprimant ses désirs.

Martine et Luc vivent ensemble depuis deux ans. Luc, comme bien d'autres hommes, présente un problème d'éjaculation précoce. Ne voulant pas que Martine le lui reproche, et voulant la satisfaire, il entreprend de la caresser avec sa bouche sur les zones érogènes. Au début, Martine trouve cela stimulant, mais finalement, ces caresses trop érotiques et pas suffisamment affectives finissent par dégoûter Martine. Elle se refuse de plus en plus souvent à Luc sous prétexte qu'elle est fatiguée, ou qu'elle n'a pas du tout l'idée à cela. Martine ne pouvait expliquer exactement ce qu'elle ressentait et ce qu'elle voulait, car l'affection ne s'exprime pas seulement par des caresses érotiques mais par une ambiance où la femme a le sentiment d'être aimée. Pour ce faire, on peut prendre un bain chaud à deux avec une simple bougie pour s'éclairer; s'échanger des baisers, des caresses autant dans les cheveux que sur tout le corps sans se limiter aux zones érogènes; aller marcher ensemble; prendre le temps de se parler et de s'enlacer. Tout, pourvu que la tendresse soit présente.

Certains hommes répliqueront: «Que d'histoires pour avoir une relation sexuelle avec ma femme!» Tout dépend de ce que l'on recherche. Si l'on veut satisfaire **ses** besoins sans trop tenir compte de l'autre, tous ces préparatifs sembleront bien inutiles. Mais si l'on veut vivre heureux en couple, peut-être vaut-il mieux avoir des relations moins fréquemment mais plus profondes au niveau des sentiments. Cela éviterait sûrement bien des problèmes de couple.

Il est bon aussi de varier le menu. Des relations sexuelles faites par habitude offrent peu d'intérêt surtout pour une femme qui a besoin d'un minimum de romantisme dans son besoin affectif.

Bien comprendre ces phénomènes nous conduira à mieux nous connaître et à mieux connaitre son partenaire afin d'être en mesure de se communiquer ses besoins respectifs.

À ce stade-ci, je te suggère cet exercice.

1. Écris tous les principes, pensées négatives, craintes, tabous ou frustrations que tu entretiens face à la sexualité.

    Voici quelques exemples:

    *   le sexe est sale;
    *   les relations orales c'est pervers;
    *   trop faire l'amour nous enlève de l'énergie;
    *   un homme qui ne maintient pas une érection est impuissant;
    *   une femme qui ne parvient pas à l'orgasme est frigide;
    *   les hommes sont des cochons au lit ;
    *   la masturbation est malsaine ou le signe d'un esprit mal tourné;
    *   les femmes qui aiment le sexe sont des salopes.

2. Comment était la sexualité de tes parents (ce dont tu as été témoin ou ce que tu as entendu)?

3. Comment as-tu vécu tes premières expériences sexuelles?

4. Comment te sens-tu aujourd'hui dans ta sexualité?

5. Qu'apprécies-tu le plus?

6. Qu'est-ce qui te frustre le plus?

QUELS SONT LES PROBLÈMES SEXUELS LES PLUS COURANTS?

Chez la femme:

*   le manque de désir sexuel;
*   la difficulté d'atteindre l'orgasme;
*   la douleur lors de la pénétration, appelée aussi dyspareunie.

Chez l'homme:

*   l'éjaculation précoce;
*   les troubles d'érection;
*   l'impuissance;
*   le manque de désir pour sa partenaire.

LES PRINCIPAUX PROBLÈMES SEXUELS CHEZ LA FEMME

1. LE MANQUE DE DÉSIR SEXUEL

Chez la femme, ce problème peut avoir plusieurs causes.

* Se sentir mal à l'aise dans son corps.

Une femme qui avait tendance à engraisser facilement disait que lorsqu'elle maigrissait suffisamment pour se trouver belle et bien faite, ses désirs sexuels étaient bien présents. La crainte que son mari la trouve moins désirable, lorsqu'elle prenait du poids, l'amenait à se fermer à lui.

* Le manque d'échanges affectifs avant ou pendant les relations sexuelles avec son conjoint.

* Les disputes, les querelles de ménage.

* Le style de vie, lorsque la priorité est mise sur le travail ou que l'habitude s'installe.

* Les culpabilités non réglées.

Ces culpabilités peuvent être reliées au fait d'avoir eu des relations sexuelles avant le mariage et d'avoir trahi son code religieux: culpabilité ou honte d'avoir été abusée sexuellement, (certaines femmes pensent qu'elles ont enlevé le mari à leur mère, et se punissent en ayant un mariage malheureux): culpabilité d'être devenue enceinte avant le mariage et d'avoir causé du chagrin à ses parents: culpabilité d'avoir quitté la vie religieuse pour se marier.

2. LA DIFFICULTÉ D'ATTEINDRE L'ORGASME

Pour plusieurs femmes, ce problème provient de la difficulté à s'abandonner à un homme. Il lui faut se sentir parfaitement en confiance avec lui, reçue et aimée dans cet échange. Plusieurs femmes ayant vécu des problèmes avec leur père (sentiment d'avoir été abandonnées ou trahies par celui-ci) éprouvent ce type de difficulté. En général l'excitation sexuelle chez la femme provient d'un attachement affectif, aussi faible soit-il, à la personne avec laquelle elle entre en relation.

Il y a des femmes qui se disent très libérées, et qui entretiennent facilement des aventures sexuelles sans lendemain. Souvent, c'est pour remplir un vide affectif, meubler une solitude ou se prouver qu'elles peuvent encore plaire et séduire. Cependant, s'il n'existe aucun sentiment dans leurs échanges, elles n'en éprouveront que très peu de plaisir, rarement un orgasme, et souvent le sentiment de mener affectivement une pauvre vie. Et le vide qu'elles tentent de remplir s'agrandit.

Guylaine était l'une de ces femmes qui se disait ouverte. Elle entretenait des relations où il n'y avait que très peu de sentiments. Non seulement n'éprouvait-elle que très peu de plaisir, mais en plus cela lui était douloureux. L'absence de lubrification rendait la pénétration difficile et douloureuse. Je lui ai demandé: «Pourquoi acceptes-tu ces relations si elles ne t'apportent que de la douleur physique et morale?» Elle m'a répondu: «C'est pour avoir le sentiment d'exister, de croire que quelqu'un s'intéresse à moi.» Mais en fait, ces hommes ne tenaient nullement compte d'elle. Dès leur arrivée, ils la «sautaient» immédiatement. Jamais ils ne l'invitaient au restaurant ou au cinéma. Je dois préciser que pour la plupart, ces hommes étaient mariés. Une de ses amies lui dit un jour: «Tu agis comme une putain, au moins fais-toi payer!» Sur le moment cela la fâcha, mais peu à peu, elle prit conscience du prix qu'elle payait pour avoir le sentiment d'être aimée. C'est ce qu'on appelle s'acheter de l'amour.

La difficulté d'atteindre l'orgasme peut provenir également d'une trop grande tension, de préoccupations qui empêchent la femme de s'abandonner, de la proximité d'une chambre d'enfant ou de celle des beaux-parents, de la belle-mère, etc. De plus, la grande majorité des femmes ont besoin d'une stimulation directe ou indirecte du clitoris pour atteindre l'orgasme. Certaines femmes se croient anormales de ne pas atteindre un orgasme vaginal, et n'osent demander à leur partenaire cette stimulation clitoridienne nécessaire pour amplifier leur taux d'excitation sexuelle. Bref, il peut y avoir tellement de causes. Mais retenons qu'en général, ce problème provient très souvent d'une difficulté à s'abandonner aux sensations de son corps. Le mythe de la bonne épouse et de la putain peut être présent.

La meilleure solution serait de s'accepter dans ses besoins d'échanges affectifs, de créer un climat de confiance et de tendresse, afin de permettre à la femme de s'abandonner et surtout de ne créer aucune attente. L'important est qu'elle se sente bien et qu'elle ressente un moment de plénitude avec son partenaire.

3. DOULEUR LORS DE LA PÉNÉTRATION

Ici encore nous retrouvons comme cause la difficulté à s'abandonner. La peur crée une contraction des muscles vaginaux qui rendent ainsi la pénétration difficile. Nous retrouvons ce problème chez une grande majorité de femmes abusées sexuellement ou violées. Chaque fois qu'arrive ce moment, le souvenir blessant refait surface par une contraction involontaire de tous les muscles du corps. Quelquefois, ce souvenir est totalement occulté. Il arrive aussi que sans avoir été violée, la femme a eu très peur de l'être dans son enfance.

À sept ans, Germaine habite la campagne. Pour se rendre à l'école, elle a l'habitude d'emprunter un chemin bordé de maisons. Il y a cependant une autre voie plus rapide, et c'est la route. Sa mère insiste pour qu'elle prenne le chemin bordé de maisons. Un jour de pluie, ayant oublié son imperméable, elle choisit la voie plus rapide. Sur la route, un homme en voiture s'arrête, lui dit qu'il connaît très bien son père et l'invite à monter. Après un moment, la voiture s'engage dans une voie secondaire. Germaine a peur. La voiture s'arrête. L'homme ouvre sa braguette et sort un pénis en pleine érection. Il demande à Germaine de le mettre dans sa bouche. Elle refuse. L'y obligeant, il lui tient la tête d'une main et de l'autre lui enfonce le doigt dans le vagin. Cet événement est des plus traumatisants pour elle. Quand Germaine rentre à la maison, plus tard que prévu, elle raconte à sa mère qu'elle a dû s'abriter sous un abri d'auto pour se protéger de la pluie. Ce n'est que quarante ans plus tard qu'elle révèle ce secret qu'elle n'a même pas confié à son mari, ou même à une amie. Germaine éprouve beaucoup de difficulté à s'abandonner à son conjoint. Chaque pénétration est ressentie comme un viol puisqu'elle ressent de la douleur. Elle m'avait consultée pour des vaginites à répétition.

Le plus important pour ces personnes ayant été abusées sexuellement, c'est de se libérer de leur secret douloureux. Souvent, elles ont le sentiment d'avoir été salies, dénigrées et, par peur d'être rejetées à cause de ce qu'elles ont vécu, préfèrent ne pas révéler ce secret douloureux. Ce n'est que dans une relation de très grande confiance, d'accueil et de non-jugement qu'elles peuvent oser le laisser aller. Dès qu'elles l'ont révélé à une personne, déjà ce souvenir leur fait beaucoup moins mal. Elles ressentent un début de libération. On pourra revoir au chapitre «La libération de la mémoire émotionnelle» comment pardonner à celui qui nous a abusée.

Dans un couple, si une femme présente une telle difficulté, le partenaire aurait grandement intérêt à faire preuve de douceur, de patience et de tendresse envers sa femme. Il doit prendre le temps de l'apprivoiser face à la sexualité. Je suggère pour cela qu'il évite toute pénétration au début. Qu'il place l'accent sur les gestes de tendresse et les caresses en évitant les organes génitaux. Il peut se représenter l'image d'une petite fille qui a peur et qu'il doit rassurer et aimer, afin de l'aider à devenir une femme épanouie.

LES PRINCIPAUX PROBLÈMES SEXUELS CHEZ L'HOMME

1. L'ÉJACULATION PRÉCOCE

Ce trouble atteint un grand nombre d'hommes et crée bien des frustrations dans les couples. Les interdits sociaux contre la masturbation joueraient un rôle important face à ce problème. Pour la fille qui a appris à refouler son aspect érotique, la sexualité ne prend un sens que dans un contexte de relation avec un homme. C'est pourquoi il est rare que les filles se masturbent pendant l'adolescence ou au début de la vie adulte. Donc ces interdits accentueront ce refoulement chez la femme alors que chez le garçon, même si on les menace des pires risques qu'ils encourent à se procurer ce plaisir solitaire, ils s'y adonneront comme pour exprimer leur autonomie. «C'est mon corps et j'en fais ce que je veux bien», diront-ils. Mais en même temps ils se sentent coupables. C'est ainsi que pour ne pas trop plonger dans l'abîme de leur culpabilité, ils le font très rapidement afin de ressentir au plus vite la sensation de jouissance que cela leur procure. Inconsciemment lorsqu'ils se retrouvent avec une partenaire, c'est le souvenir de ces premières jouissances qu'ils veulent retrouver. Et c'est ce qui les amène à être incapables de retenir cette explosion de jouissance qu'ils ressentent.

Pour solutionner le problème, l'homme devra se permettre d'éprouver du plaisir par la masturbation en se libérant de toute culpabilité face à cette activité de son corps et en tentant de retarder sa jouissance le plus possible. Puis graduellement par des jeux avec sa partenaire, il pourra vérifier le seuil de son excitation afin d'arriver à l'augmenter.

Il est important que sa partenaire se montre compréhensive et n'apporte aucune tension à cet homme par des reproches ou des attentes. Elle aurait intérêt à découvrir comment elle peut atteindre elle-même son orgasme ou l'excitation à son maximum avant que son partenaire ne l'ait pénétrée totalement.

Le couple vivant ce problème peut se réserver cette étape comme dessert dans leurs échanges amoureux, et graduellement apprendre ensemble à retarder le moment de l'éjaculation.

J'ai reçu Angèle et Paul en consultation. Angèle était au comble de sa frustration. Mariée à Paul depuis quinze ans, elle se plaignait, devant Paul de n'avoir jamais connu une relation sexuelle satisfaisante. On peut imaginer comment se sentait Paul... Accusé, fautif et dévalorisé, fallait-il qu'il aime Angèle pour accepter de faire tout ce qu'elle lui demandait, y compris les nombreuses thérapies pour venir à bout de son problème. Car selon Angèle, c'était le problème de Paul, non pas le sien. Un problème de couple concerne toujours les deux partenaires. Angèle, de par sa nature dominatrice, lui créait une telle tension que cela lui causait même des pertes d'érection. Un problème sexuel récèle souvent un problème de communication. Le problème de Paul et Angèle était davantage un problème de liberté dans leur couple. Paul, qui ne voulait pas la décevoir ou avoir d'histoire, se laissait totalement dominer par elle, mais c'était dans leurs relations sexuelles qu'il reprenait son pouvoir en ne lui donnant pas ce qu'elle désirait. Lorsqu'ils comprirent l'origine de leur problème, ils apprirent à se dire ce qui les rendait heureux et ce qui les dérangeait, sans utiliser de reproches. Ils se rapprochèrent, et leurs échanges sexuels s'en ressentirent.

La satisfaction sexuelle et la communication efficace sont interreliées

2. LES TROUBLES D'ÉRECTION

Comme nous venons de le voir dans le cas d'Angèle et Paul, une trop grande pression de la part du partenaire peut faire naître ce problème. Si une femme, lors d'une relation sexuelle, pense aux problèmes que lui pose un de ses enfants ou s'inquiète que son conjoint perde son emploi, il est fort probable que, n'étant pas suffisamment abandonnée à vivre un bon moment avec son partenaire, elle ne puisse atteindre l'orgasme. Si en plus elle se dit: «Il faut que j'y arrive, car si je n'y arrive pas, mon partenaire pensera que je suis frigide ou encore une piètre maîtresse», toute cette pression sera plus néfaste que favorable. Il en va de même pour un homme. Lorsqu'il est préoccupé par des difficultés dans son travail, des problèmes avec la finance ou l'impôt, cela peut entraîner des pertes d'appétit sexuel et amener des troubles érectiles. Si, en plus, il se dévalorise et qu'il n'est pas encouragé par sa partenaire, il risque de glisser vers l'impuissance. La solution est d'aider son partenaire à verbaliser l'objet de ses préoccupations et d'avoir tout simplement des échanges d'amour et d'affection. Se sentant compris, accepté et encouragé, il y a de fortes chances pour que cette situation soit temporaire.

3. L'IMPUISSANCE

C'est l'incapacité pour un homme d'arriver à l'érection, ou encore la perte très rapide de son érection. Il existe plusieurs causes physiologiques mais il semble que son origine soit davantage psychologique. Les causes sont sensiblement les mêmes que celles qui créent les troubles d'érection. On observe plusieurs cas d'impuissance après une rupture ou une séparation. La culpabilité, la colère ou la rancune envers ce partenaire peuvent y être pour une bonne part.

Certaines personnes après une rupture prennent l'entière responsabilité de la séparation et s'auto-punissent inconsciemment en se privant de tout plaisir qu'elles pourraient ressentir avec un autre partenaire.

Le plus gros problème que vit l'homme face à l'impuissance n'est pas tant d'être privé dans son besoin d'affection, mais le sentiment d'infériorité et de dévalorisation qu'il ressent. Les hommes préfèrent se sentir des supermâles. Rien ne leur fait plus plaisir que d'entendre les éloges de leur partenaire dans cet aspect de leur être. Rien ne les blesse plus que d'être ridiculisés dans ce domaine.

Louis, un homme d'une trentaine d'années souffrait d'impuissance. Sa première relation se passa avec une femme qui louait ses services. Elle se moqua un peu de son inexpérience. Par la suite, il devint très pointilleux sur cet aspect de sa personne. Il préférait courtiser une fille timide plutôt qu'une femme trop en confiance. Avec le temps, les insatisfactions des femmes qu'il fréquentait eurent un effet désastreux sur le peu de confiance en ses capacités de mâle, et le conduisirent vers l'impuissance.

Beaucoup d'hommes impuissants tentent de compenser leur sentiment d'infériorité en faisant des choses pour prouver leur virilité, soit en se mettant à boire ou en pratiquant des sports violents. Il peuvent se montrer parfois agressifs et devenir de véritables dictateurs. Ce qui était le cas de Louis. L'impuissance aura un impact très grand sur le veillissement d'un homme passé la cinquantaine. Tant qu'il se sent puissant, il se sent jeune. Mais lorsqu'il commence à présenter des signes d'impuissance, souvent il se laisse aller. Ce sentiment d'impuissance non accepté entraîne très souvent des problèmes de prostate chez les hommes dans la cinquantaine ou du troisième âge.

Les solutions sont sensiblement les mêmes que pour les problèmes d'érection mais on peut également avoir recours à un ou une sexologue, psychologue ou thérapeute. L'important est de se sentir en confiance et d'être accueilli par la personne à qui on demande de l'aide.

Certains hommes diront: «Je suis fini», considérant comme irréversible cette situation, alors que l'impuissance peut être réversible.

4. LE MANQUE DE DÉSIR POUR SA PARTENAIRE

Si les hommes se plaignent du manque de désir sexuel de la part de leur partenaire, il arrive aussi qu'il y ait des femmes qui formulent les mêmes plaintes. Comment l'expliquer? Plusieurs femmes comblent leurs besoins d'affection par le biais de la sexualité. Lorsqu'ils sont au lit elle a l'impression qu'il est complètement à elle. Il n'est pas absorbé par la télévision, caché derrière son journal, préoccupé par ses affaires ou en train de fêter avec ses amis. L'homme peut sentir qu'elle veut le posséder et se fermer à elle. Il veut se sentir libre de désirer qui il veut et ne pas se sentir obligé parce qu'elle croit qu'il lui appartient. J'ai connu un couple qui vivait cette situation.

France est une femme de carrière qui réussit très bien, mais comme bien des femmes, elle n'a pas encore atteint l'autonomie affective. Dépendante sur le plan affectif, elle a attiré Jacques qui a peu confiance en lui. Elle l'encourage à poursuivre ses études, assumant tous les frais du ménage. Dès qu'il a terminé, elle l'aide à se trouver un emploi. Sans même s'en rendre compte, elle décide pour lui. Jacques a beaucoup d'admiration pour elle. Il se sent bien dans son quotidien avec elle mais ne comprend pas pourquoi il ne peut la désirer, bien qu'elle soit une femme plutôt attirante. Son problème est davantage relié au fait de sentir son emprise sur lui, de se sentir possédé ou obligé. Cela est suffisant pour freiner tout désir. Son attirance vers une autre femme le laisse libre de désirer qui il veut.

Plusieurs couples vivant ce problème se composent d'une femme «YANG» dominatrice et d'un homme «YIN» sensible à toute forme d'emprise. Il peut y avoir également une forme de compétition entre les partenaires où l'homme se sent inférieur. Ce sentiment d'infériorité peut l'amener à vouloir quitter cette situation afin de se sentir égal à une autre personne.

LE MYTHE DE LA FEMME HONNÊTE ET DE LA PUTAIN

Certains hommes épousent la femme qu'ils considèrent «honnête et bien», mais sont excités par la «mauvaise». Très souvent, ces hommes peuvent se laisser aller dans leur sexualité seulement avec des personnes avec lesquelles ils n'entretiennent pas de lien affectif.

Quand Paul-André rencontre Marie, une très belle blonde, très bien mise, il se dit: «Voilà le type de femme que je veux épouser». Il la fréquente pendant deux ans puis l'épouse. Pendant cette période, Paul-André a des relations sexuelles avec Marie mais lorsqu'il veut «s'envoyer en l'air», comme il le dit, il appelle une de ses petites copines qu'il n'aurait jamais épousées. Paul-André aime profondément Marie mais se sent incapable de se laisser aller à ses fantasmes. Il aurait l'impression de manquer de respect à Marie. Comme il ne ressent que peu de plaisir avec elle, graduellement il se désintéresse de ses relations sexuelles avec elle. Il préfère la vénérer comme épouse et mère de ses enfants et s'amuser avec ses petites copines. Hélas Marie n'appartient pas au clan des femmes pour qui la sexualité peut ne pas exister. Elle quitte la coquille protectrice où Paul-André l'avait confinée et se prend un amant. C'est un choc pour lui. Mais ce choc les amène à faire face au problème. Paul-André avait fui toute discussion que Marie voulait avoir avec lui, et elle vivait dans l'espoir que la situation change.

Devant la fermeture de son partenaire ou le manque de désir envers celui-ci, il faut s'interroger sur ses motivations. Pourquoi avons-nous choisi de vivre avec cette personne? Il faut aller au fond de soi pour tenter d'identifier le pourquoi de son manque de désir, et en parler honnêtement avec son partenaire pour en arriver à des solutions. Il est important de ne pas se mentir à soi-même et de regarder la vérité en face. Cette relation de couple n'est peut-être pas celle que l'on veut vivre. La majorité des hommes vivant ce manque d'excitation pour leur partenaire ont tendance à fuir ce problème. La plupart du temps, c'est la femme qui consulte parce qu'elle se sent brimée. Il faut amener l'autre à regarder ce problème qui les concerne. S'il s'y refuse carrément, c'est un indice qu'il n'est pas intéressé à partager une vie de couple mais qu'il veut prendre du couple ce qui fait son affaire. Comme me disait l'une de mes participantes qui avait un mari qui vivait davantage à l'extérieur: «Il vient faire laver ses chemises.»

La question est simple: «Veux-tu laver ses chemises ou vivre à deux?» Quand on est trop maternelle, on peut s'attirer un enfant.

Vivre à deux implique une certaine dose de maturité de la part des deux partenaires.

COMMENT VIVRE L'UNION SPIRITUELLE PAR LA SEXUALITÉ?

Par la sexualité, qui est la plus forte énergie du corps, les êtres peuvent atteindre la fusion ou recréer la synthèse. La fusion signifie ré-UNION, ou être unis de nouveau. Cette énergie peut élever un couple sur les plus hautes sphères de la conscience. Pour que cette fusion se réalise, il est essentiel que deux êtres sachent vraiment aimer, c'est-à-dire: avoir atteint une maturité affective qui implique l'amour de soi et l'amour de l'autre. Il doit exister entre ces deux êtres une véritable communion d'âme dans les sphères de la pensée, du sentiment et de la volonté. La volonté consiste en la maîtrise de la passion. Nous avons déjà vu que la passion est le fruit du désir de conquérir, de posséder l'autre pour satisfaire notre ego. Tant qu'il n'y a pas de maîtrise sur l'ego, sur les désirs charnels ou sur le besoin que l'autre nous appartienne pour notre propre satisfaction, il n'y a pas d'union dans la volonté.

Lorsque deux êtres vibrent en harmonie dans leurs pensées, leurs sentiments et leur volonté, la fusion se réalise alors sur les sept plans de la conscience cosmique. Le couple devient alors chargé d'une énergie extrêmement puissante, capable d'amener la guérison par sa simple présence. En Inde, il est coutume d'amener de grands malades à l'endroit où un véritable couple s'unit sur les sept plans de la concience, et d'assister à la guérison du malade.

Il y a des personnes qui s'unissent sur les plans physique et éthérique mais ne le sont pas sur le plan astral. C'est-à-dire que leurs corps et leurs énergies sont unis, mais pas leurs sentiments. D'autres s'unissent sur le plan physique, éthérique et astral mais ne le sont pas sur le plan mental. C'est-à-dire que leurs corps, leurs énergies et leurs sentiments sont unis, mais pas leurs pensées. Chacun entretient ses propres idées et pensées.

D'autres encore sont harmonisés sur les plans de la pensée et du sentiment, mais sont absolument opposés dans le monde de la volonté. Ces mariages sont pleins de conflits et rarement heureux.

Certaines personnes vivent une vie de couple sur le plan physique avec un conjoint déterminé et sur le plan mental, avec un conjoint différent. Il n'est pas facile d'arriver à un mariage parfait, ou à la fusion dans les sphères de la pensée, du sentiment et de la volonté. La grande majorité des couples en est encore à tenter de s'ajuster sur leurs plans physique, astral et mental. Il est bon cependant de savoir qu'il existe quelque chose au-delà de tout ce que nous avons connu jusqu'à maintenant.

> *«Celui qui ne sait rien n'aime rien. Celui qui n'est capable de rien ne comprend rien. Celui qui ne comprend rien est sans valeur. Mais celui qui comprend, celui-là aime, observe, voit... Plus on en sait sur une chose, plus grand est l'amour...»*
> *Paracelse*

La sexualité peut être une merveilleuse communion de deux êtres qui s'aiment, tout comme elle peut se résumer à de simples frottements que l'on exécute mécaniquement et qui ne servent qu'à calmer la passion pour quelque temps.

LES MANIFESTATIONS DE L'AMOUR

La première manifestation de l'amour exprimé dans la sexualité, c'est la tendresse. Lorsqu'il y a tendresse, il y a union sur le plan astral, c'est-à-dire dans les sentiments.

La seconde manifestation de l'amour exprimé dans la sexualité, c'est la prière. Prier ne signifie pas, comme nous l'avons appris, à réciter des formules toutes faites. Prier c'est s'unir en pensée avec la personne que l'on aime. Ainsi bénir c'est prier et bénir signifie «dire du bien».

La troisième manifestation de l'amour exprimé dans la sexualité, c'est l'attention. Comme nous l'avons déjà vu, écouter, c'est être attentif. C'est donc être à l'écoute de celui ou celle qu'on aime. L'accueillir dans tout ce qu'il vit, tout ce qu'il ressent.

La quatrième manifestation de l'amour exprimé dans la sexualité, c'est le partage. La femme, de par sa nature «YIN», reçoit et partage à son partenaire «YANG» qui exécute. Dans ce partage, ils deviennent «YIN et YANG» c'est-à-dire un être androgyne capable de créer.

La cinquième manifestation de l'amour exprimé dans la sexualité, ce sont les caresses. Caresse vient de «chara» qui signifie «chérir». Chérir par notre regard, par nos gestes l'être aimé. Le baiser lui-même est la consécration profondément mystique de deux âmes qui sont unies. Il faut cependant se rappeler que l'on peut être unis sur différents plans. L'extase ne s'atteint que lorsque l'union se réalise dans les plans.

La sixième manifestation de l'amour exprimé dans la sexualité, c'est l'acte sexuel. L'acte sexuel est la clé par laquelle un homme et une femme ne font plus qu'un seul être androgyne doté du pouvoir de créer. On peut créer un enfant physique, tout comme un enfant cosmique.

Lorsque l'on exprime ces six manifestations de l'amour dans sa sexualité, on découvre que plus les gestes de tendresse, l'unité de la pensée, l'attention, le partage et les adorables caresses sont présentes, plus le couple ressent une volupté spirituelle enchanteresse. Leurs corps sont alors chargés d'électricité et de magnétisme universels et leurs chakras s'ouvrent pour leur faire vivre les plus hauts degrés de l'amour. C'est là qu'ils atteignent le vrai mariage cosmique qui les transforme en êtres solaires.

CHAPITRE XV

RÉSOUDRE EFFICACEMENT DES CONFLITS AVEC L'AUTRE

«Il n'est jamais problème qui n'ait un cadeau pour toi entre ses mains. Tu cherches des problèmes parce que tu as besoin de leurs cadeaux». Richard Bach

Il est très facile de ne pas vivre de conflits et de manifester une grande sérénité lorsque l'on vit seul dans une grotte. Il en va tout autrement lorsque nous entrons en action avec nos semblables. La colère, la frustration, les blessures appartiennent à notre réalité quotidienne.

Nous avons vu au chapitre «Maîtriser ses émotions» que nos attentes nous font vivre beaucoup d'émotions. Ici encore, il est beaucoup plus facile d'être détaché de nos attentes vis-à-vis une personne qui nous est étrangère, que de la personne avec laquelle nous partageons une intimité.

Que notre ami n'ait aucun ordre dans son appartement, cela nous est bien égal, mais que notre conjoint laisse tout traîner dans notre maison, c'est une autre affaire.

Si l'un de mes participants m'accuse de lui avoir manqué de respect, de l'avoir manipulé, je peux penser: «Il est en colère, il m'exprime sa frustration et son mal-être»; je peux même tenter de le comprendre. Mais si c'est mon conjoint qui me lance ces mêmes accusations, il est plus que probable que cela m'atteigne profondément. Je peux réagir par la colère, me sentir blessé ou avoir l'idée de me venger.

Lorsque l'on vit en intimité avec une ou d'autres personne(s), des situations conflictuelles peuvent survenir. Même les couples les plus heureux vivent des conflits. Ce qui les distingue des couples malheureux, c'est leur façon de résoudre ces conflits.

Lorsque nous étions enfants, si nous nous disputions avec notre frère ou notre soeur, très souvent nous étions tous les deux punis ou envoyés dans notre chambre pour réfléchir. Exprimer sa colère ou sa frustration n'était pas encouragé. Ma mère nous répétait souvent: «Taisez-vous pour ne pas faire de chicane.» Se taire peut parfois augmenter la pression de la colère qui bout en nous et nous amener à dire des paroles blessantes qu'on ne pense pas vraiment, ou encore à poser des gestes que nous regrettons par la suite.

J'avais surnommé mon premier conjoint «volcan». Il ne se fâchait pratiquement jamais, préférant se taire. Plus d'une fois je l'ai provoqué pour le faire sortir de sa carapace de contrôle, et, lorsque je dépassais son seuil de tolérance, il explosait comme un volcan. Beaucoup de personnes sont des volcans car elles n'ont pas appris à exprimer leur colère, leur frustration ou leur déception.

Il existe presqu'autant de couples qui ont une peur excessive de la querelle que de couples qui se disputent continuellement pour la moindre insignifiance. Wyden Bach, dans son livre intitulé: «Ennemis intimes», qualifiait les premiers couples de «Colombes» et les seconds de «Faucons». Ce sont les deux extrêmes. Chez les premiers la colère est refoulée, chez les seconds, elle n'est pas maîtrisée.

Chez les «Colombes», tout semble bien aller alors qu'en réalité rien ne va. «Préservons l'image pour la famille» est leur maxime.

Françoise et Marc sont un cas type du couple «Colombes». Françoise a grandi dans un milieu familial perturbé. Ses parents se querellaient continuellement au sujet de l'argent, des beaux-parents, de la pluie et du beau temps. Françoise en fût si malheureuse qu'elle se promit, qu'une fois mariée, elle ne ferait pas d'histoires avec l'argent, les enfants et tout le reste.

Quand Françoise fréquente Marc, elle apprécie son contrôle face à ses émotions. Il ne se fâche jamais, préfère se fermer, bouder un peu, mais tout s'arrange au lit. Après quelques années de vie commune, ce même comportement qu'elle appréciait durant leurs fréquentations lui devient insupportable, mais elle l'accepte afin d'éviter des conflits.

Maintenant, lorsque Marc vit de la colère ou de la frustration, il prolonge ses heures de travail. Quand il rentre, il est si fatigué qu'il se couche immédiatement. Françoise, de son côté, vit de plus en plus de solitude. Pour tromper l'ennui, elle s'inscrit à des cours du soir devenant elle-même de plus en plus absente.

Plus le temps passe, plus ils deviennent des étrangers vivant sous le même toit. Comme la communication est de plus en plus rare, leurs relations intimes s'estompent graduellement. Pourtant, quand la famille se rencontre à l'occasion de Noël, de la fête des Mères ou d'un mariage, tout le monde jurerait que c'est le couple le plus uni.

Lorsqu'ils apprennent que Marc et Françoise se sont séparés, ils ne comprennent pas du tout.

En fait, la séparation de ce couple était amorcée depuis des années. Ils voulaient simplement ménager leurs familles respectives. Dans leur peur réciproque d'exprimer leur colère et leur frustration, ils ont laissé se creuser le fossé de l'indifférence jusqu'au moment où ils n'avaient plus rien à se dire ou à partager.

Chez les «Faucons» s'exprime «l'enfant-ego». La plupart du temps ce sont des individus qui n'ont pas atteint la maturité affective mais dont l'ego est très fort. Chacun veut avoir raison sur l'autre. Leurs colères sont explosives. Ils s'injurient, se lancent parfois des choses par la tête, utilisent parfois un bouc émissaire en la personne d'un ami ou d'un membre de leur famille.

Andrée et Ghislain sont invités chez Anne et Charles pour un dîner entre amis. Andrée rappelle à Ghislain leur invitation par ces mots: «Nous sommes attendus pour dîner à dix-huit heures trente, chez Anne et Charles; tâche de ne pas arriver trop tard. Il nous faut une bonne demi-heure de route pour nous y rendre.»

Dix-sept heures. Andrée se prépare, jetant un coup d'oeil à la fenêtre, guettant l'arrivée de Ghislain.

Dix-sept heures trente. Il n'est toujours pas arrivé. Andrée sent monter de l'impatience en elle.

Dix-sept heures quarante-cinq. Ghislain n'est toujours pas arrivé. Elle n'a pas reçu d'appel lui indiquant qu'il serait en retard. Elle dépose les vêtements que doit porter Ghislain sur le lit pour gagner du temps.

Dix-huit heures quinze. Il n'est toujours pas là. La colère grandit.

Dix-huit heures trente-cinq. Il rentre enfin.

(Andrée)

«Te voilà, toi. Tu as vu l'heure? Tu l'as fait exprès. On sait bien, ce sont **mes** amis.»

(Ghislain)

«Tu ne m'as pas demandé si j'avais envie d'y aller. Tu as décidé pour moi comme d'habitude.»

(Andrée)

«Moi je vais bien dans ta famille alors que je déteste y aller.»

(Ghislain)

«On sait bien, il n'y a que ta famille et tes amis qui t'intéressent. Vous pouvez bien vous entendre ensemble, vous êtes tous pareils, mais vous êtes incapables de vous entendre avec les autres.»

(Andrée)

«S'il y a quelqu'un qui est sauvage c'est bien toi. Tu n'es pas vivable.»

Les injures et les insultes se multiplient jusqu'à ce que Ghislain parte en claquant la porte et qu'Andrée s'écroule en pleurant.

Voilà une scène typique des «Faucons».

Les conflits dans un couple, ou avec d'autres personnes, sont une excellente façon de grandir ensemble si on apprend à bien canaliser cette colère et à s'en servir pour se découvrir.

Pour ce faire, les partenaires doivent assumer leur entière responsabilité dans ce qu'ils vivent. La loi de la responsabilité peut s'énoncer ainsi: **«Tout ce qui nous est arrivé dans notre vie par le passé et tout ce qui nous arrive dans notre présent, nous l'avons fait arriver consciemment ou inconsciemment.»**

Certaines personnes répliqueront:

- «Moi je me suis fait arriver un homme alcoolique et violent?»
- «C'est moi qui me suis fait arriver de perdre mon emploi alors que mon patron m'avait pris en grippe?»
- «C'est moi qui me suis fait arriver cet accident?»
- «C'est moi qui me suis fait arriver d'avoir un enfant infirme?»

La loi de la responsabilité est sûrement l'une des lois les plus difficiles à accepter. Il est bien plus facile de rejeter le blâme sur l'autre ou sur les circonstances, que de s'admettre que cela nous concerne.

D'autres diront: «Qu'est-ce que j'ai fait pour mériter cela?», se référant au précepte de leur enfance selon lequel une bonne action mérite une récompense, alors qu'une mauvaise mérite une punition.

La loi de la responsabilité n'a rien à voir avec les récompenses et les punitions.

Si nous nous attirons de telles personnes ou de telles circonstances, c'est uniquement dans le but d'apprendre, de développer certaines qualités, de nous dépasser, et ce, pour notre propre évolution.

Quand tout va très bien, on ne se remet pas en question, mais quand surgit un problème, on se demande: «Pourquoi? Pourquoi moi?»

Par exemple: voici un homme beau, riche, intelligent, talentueux, à qui tout réussit dans la vie, qui épouse une femme belle, merveilleuse et adorable avec laquelle il vit un grand amour. Tout est merveilleux. Elle donne naissance à un premier enfant tant attendu. Un petit garçon très beau, attachant. C'est le summum de leur bonheur. Lorsque l'enfant a deux ans, il présente des problèmes de santé. Le diagnostic médicale révèle qu'il est atteint d'une leucémie aiguë. Sur le moment, cet homme ébranlé par le choc de cette nouvelle se demande: «Pourquoi nous? Pourquoi notre enfant? Dire qu'il y a des familles qui n'ont même pas les moyens de faire vivre leur enfant, des parents qui tuent le leur, alors que le nôtre est tout pour nous. C'est trop injuste!»

Cet homme et cette femme investiront leur vie à aider les enfants leucémiques et leurs parents. Voilà ce qui pouvait le plus les aider dans leur évolution: servir une cause et grandir par elle. S'ils n'avaient pas eu cet enfant leucémique, ils auraient peut-être fait un don à une société de recherche sur le cancer mais rien de plus.

RIEN N'ARRIVE PAR HASARD

Il n'est pas nécessaire que tous vivent les mêmes expériences pour évoluer, ni même d'être malheureux, mais chaque expérience, aussi banale ou souffrante soit-elle, est là pour nous apprendre quelque chose.

Si mon partenaire et moi acceptons cette idée, il nous sera plus facile de nous servir des conflits que nous vivons pour développer des qualités, nous entraider et nous aimer davantage.

On peut voir ici que la fermeture, les injures et les accusations ne sont aucunement utiles.

VOICI SEPT ÉTAPES POUR RÉSOUDRE EFFICACEMENT UN CONFLIT:

1. Accepter la responsabilité de la situation que nous vivons.

Reprenons le cas d'Andrée et Ghislain.

Ghislain est en retard. Andrée accepte, à l'intérieur d'elle, que cet événement a quelque chose à lui apprendre. La colère est cependant présente.

Quand Ghislain rentre, elle peut lui demander: «As-tu envie de venir à ce dîner chez Charles et Anne?», sans laisser exploser sa colère.

Si Ghislain lui dit: «Tu n'as pas l'air de bonne humeur...», Andrée poursuit: «Oui, je suis en colère. Je sais que j'ai quelque chose à apprendre de cette situation; je vais régler ça d'abord avec moi et nous en reparlerons. Pour le moment, veux-tu m'accompagner ou si tu préfères ne pas venir?»

Ghislain répond: «Je viens avec toi.»

Comme nous l'avons vu, nos émotions (dont la colère fait partie) viennent de l'interprétation que l'on fait d'une situation ou des agissements d'une personne.

2. **Reconnaître devant l'autre l'émotion qui nous habite sans le tenir responsable**, et ce, en utilisant le «je» au lieu de «tu».

- je suis fâché(e)
- je suis furieux(se)
- je suis en colère
- je suis déçu(e)...

au lieu de:

- tu m'as fâché(e)
- tu m'as mis(e) en colère
- tu m'as déçu(e)

Lorsque l'on est fâché et que l'on utilise le pronom «tu», cela se résume à accuser l'autre, cela traduit: «C'est toi qui est responsable, pas moi!»

3. **Savoir où et quand on peut laisser sortir cette agressivité qui nous crée un malaise.**

Exprimer sa colère ou son agressivité à l'heure des repas, devant les enfants, n'est certes pas le meilleur temps ni le meilleur endroit.

On peut accepter la colère qui est en nous sans pour autant la lancer sur-le-champ à la face de l'autre personne. Cela demande un peu de maîtrise au début.

Il y a une différence entre laisser sortir son agressivité sur le moment et ravaler sa colère en se disant que cela va passer. Disons qu'il y a un juste milieu.

4. **Prendre une certaine distance par rapport à cette personne.**

Cela peut se faire en allant marcher seul, ou encore en te retirant dans ton bureau, ta chambre, etc. Et là, demande-toi: «Qu'est-ce que cette situation a à m'apprendre?» ou fais le bilan de ton émotion.

Nous avons déjà vu que ce que l'on reproche aux autres, très souvent, nous appartient. C'est ce qu'on appelle **«faire de la projection»**.

Il se peut aussi que ce soit quelque chose qu'on ne se permet pas à soi-même et que, par conséquent, on ne permet pas à l'autre.

Exemple: **Je ne me permets pas d'être en retard parce que je considère cela comme un manque de respect envers les autres.** Si j'accepte les retards de mon mari, j'accepte qu'il me manque de respect. À cause de l'idée que j'entretiens au sujet du retard, je ne peux me le permettre, ni le permettre à mon conjoint.

5. **La tempête apaisée, décider ensemble d'un moment pour vous en parler.** La chambre à coucher, un petit boudoir ou le sous-sol peuvent être des endroits appropriés. Ce peut être aussi à l'extérieur de la maison.

Éviter des endroits où vous risquez d'être dérangés, que ce soit par le téléphone, la télévision ou les enfants. Au mieux, attendez que les enfants soit couchés et branchez le répondeur.

Une excellente suggestion est de s'asseoir tous les deux sur le bord de la baignoire, les pieds dans l'eau ou le corps entier si celle-ci est suffisamment grande, et de se dire tout ce qu'on a ressenti, sans accuser l'autre, mais en exprimant ce qu'on a vécu.

Exemple:

- je me suis senti non respecté...

- je me sentais de trop...

- j'avais l'impression que...

- j'ai compris que...

Ensuite, écoute-le à son tour. Grâce à ce qu'il te dira, tu comprendras peut-être mieux ce que tu avais mal compris, ou que tu avais interprété de manière non favorable pour toi et pour vous deux.

S'il y a un moment où l'écoute attentive est très importante, c'est bien quand ton partenaire t'exprime quelque chose qui ne lui est pas facile, ou encore d'une grande importance pour vous deux.

6. **Chercher ensemble à comprendre ce que cette situation avait à vous apprendre.**

Parlez toujours pour vous-même: «Je crois que j'avais à comprendre telle chose...» au lieu de: «Je crois que tu as à comprendre telle chose...» Laisse à ton partenaire la liberté de voir ce qu'il veut bien voir. Si tu vois quelque chose qui peut l'aider et que tu le sens réceptif, dis-lui: «Aimerais-tu savoir ce que je vois qui pourrait t'aider dans cette situation? Tu peux y réfléchir; rien ne dit que j'aie raison.»

S'il ne te semble pas réceptif, prends ce que toi tu avais à comprendre et laisse la vie et les événements se charger de lui apprendre ce qu'il refuse de voir.

Surtout, n'essaie pas d'avoir raison sur l'autre.

7. Quand vous avez exprimé vos griefs et que vous avez appris grâce à cette situation, **pardonnez-vous mutuellement**, embrassez-vous, (retirez l'eau du bain si vous êtes dans la baignoire, laissant l'eau emporter ces dernières énergies négatives) et passez à autre chose.

Quand on règle les conflits au fur et à mesure, cela devient plus facile de le faire rapidement. On évite ainsi le radotage et le ressentiment d'une frustration ou d'une colère non-réglée.

COMMENT RÉGLER DES PROBLÈMES À L'AMIABLE?

1. Quel que soit le problème que vous abordiez, discutez-en toujours dans le respect et l'ouverture à l'autre.

2. Abordez un seul problème à la fois. N'essayez pas de régler du même coup les problèmes financiers, le cas de la belle-mère qui s'amène à l'improviste, ou le projet du conjoint qui veut investir dans un commerce. Choisissez celui qui vous fait vivre le plus de tension **entre vous** présentement. Je spécifie **entre vous** car le problème dominant peut être l'aspect financier pour l'un, et les tâches domestiques pour l'autre, alors que le problème commun qui crée le plus de heurts et de frustration à tous les deux, concerne les sorties libres de chacun.

3. Prenez le temps d'y réfléchir individuellement afin de trouver des solutions avant même de vous rencontrer pour aborder le sujet.

4. Déterminez le moment et l'endroit opportun pour en discuter.

Si ton partenaire est très préoccupé par un travail à remettre, ce n'est pas le bon temps. Tu peux proposer un moment où vous êtes libres de toutes contraintes. Vous pouvez faire garder les enfants et vous donner rendez-vous dans un parc ou dans un restaurant très paisible. Si vous choisissez de vous en parler à la maison, évitez les distractions telles la télévision, la musique, les enfants, le téléphone, etc.

5. Présentez le problème et les inconvénients qu'il apporte.

Quelquefois, un problème ne crée aucun inconvénient sérieux, mais il n'entre pas dans notre ligne de pensée, alors que d'autres problèmes comportent des inconvénients de taille.

Par exemple:

Elle décide de suivre un cours de yoga une fois par semaine.

Où sont les inconvénients?

Il rétorque que: «Nous ne serons pas ensemble ce soir là.» Ce n'est pas ce qu'on appelle un inconvénient sérieux qui peut nuire au couple.

Prenons un autre cas.

Elle veut accueillir sa mère pour cohabiter avec eux.

Où sont les inconvénients?

• La seule pièce disponible de la maison est son bureau à lui.

• De plus, le mur de cette pièce est mitoyen à leur chambre à coucher.

• Il ne se sent pas très à l'aise avec sa belle-mère.

• Il craint de perdre son intimité.

Nous voyons ici que ce problème apporte plusieurs inconvénients qui méritent d'être discutés.

6. Envisagez toutes les solutions possibles en tenant compte de toutes les personnes concernées. Il serait bon d'écrire ces solutions. Accueillez chaque solution comme une possibilité. Ne vous fermez à aucune. Une solution qui peut vous paraître irréaliste ou qui ne vous enchante nullement au début peut s'avérer, après mûre réflexion, être la meilleure solution ou une partie de la solution.

Supposons que face au problème précédent, il te propose de faire un petit appartement au sous-sol de façon à ce que ta mère se sente chez elle et que tu puisses prendre soin d'elle sans avoir à te déplacer. Voilà que tu sursautes en lui disant: «Il n'en n'est pas question, avec les petites fenêtres du sous-sol, ma mère va étouffer!»

Ouvre-toi simplement à cette possibilité.

Puis, discutes-en afin de trouver des compromis. Par exemple, il peut y avoir la possibilité de changer les fenêtres existantes pour de plus grandes...

7. Évaluez les avantages et les inconvénients de chaque solution proposée. Retenez celles qui vous semblent réalisables. Trouvez des compromis dans lesquels vous vous sentirez à l'aise tous les deux.

8. Soyez prêts à changer les images dans votre banque d'images.

Il arrive fréquemment que nous ayons adopté par le passé des images correspondant à ce que nous croyons être le bonheur. Quand l'autre ne cadre pas avec ces images, nous vivons de la déception et de la frustration.

J'ai vécu une expérience qui me fit comprendre la banque d'images à laquelle nous tentons souvent vainement ou de façon irréaliste de répondre. J'avais commandé des tuiles pour une salle de bain attenante à ma chambre et dans laquelle je voulais créer un décor particulier. L'échantillon proposé présentait en toile de fond une teinte de rose pêche sur laquelle jouaient des marbrures roses. Lorsque je reçus les tuiles commandées, le fond rose pêche était presque absent. J'en fus profondément déçue. Je ne pouvais aimer les nouvelles car je gardais dans ma banque d'images la tuile avec un fond rose plus prononcé. C'est en jetant la tuile conservée comme échantillon et en changeant l'image de la tuile attendue que je découvris combien jolies étaient celles qu'on m'avait livrées. Cette expérience me fit découvrir la banque d'images.

Enfant, j'avais introduit dans ma banque d'images que le bonheur, c'était d'avoir une famille unie. Comme je ne vivais pas ce lien de famille unie, je ne pouvais être heureuse. Lorsque j'ai changé cette image en acceptant que ma carrière, mes réalisations correspondaient au bonheur, je m'aperçus que le bonheur était à mes côtés.

Combien de personnes rêvent d'un autre conjoint que celui qui partage leur vie? C'est le cas de Margot qui après le mariage s'est découvert un goût pour la danse. Elle voit des couples qui ont beaucoup de plaisir à danser ensemble, ce qui lui fait envie. Elle harcèle Gilbert pour qu'ils s'inscrivent à des cours de danse, ce à quoi il résiste fermement. Elle se sent malheureuse et lui reproche de ne rien vouloir entreprendre avec elle. C'est l'image à laquelle elle s'accroche qui lui crée tant de déception et de frustration et non le refus de Gilbert. Car, elle pourrait très bien aller danser avec des amis et partager d'autres plaisirs avec Gilbert.

9. Prenez une décision et passez à l'action. La seule façon de solutionner un problème, est d'y faire face. Le fuir ou attendre que le temps le règle n'est pas la solution.

Il s'agit donc d'adopter la solution qui vous semble la plus réalisable et de passer à l'action. Il est possible que cette solution ne soit pas la meilleure, mais elle vous aura permis d'avancer et peut-être de découvrir celle qui sera idéale pour la situation.

Pour prévenir ou éviter des conflits

Bien des conflits seraient évités si les partenaires prenaient le temps de définir leurs attentes et de trouver un terrain d'entente.

Se marier ou partager un même toit implique un engagement de part et d'autre. Peu de couples agissent comme deux êtres engagés à cheminer ensemble.

Il serait intéressant de vérifier auprès des couples s'ils se souviennent de ce qu'ils ont entendu le jour de leur mariage. La grande majorité se rappelleront de leurs vêtements, de la musique entendue, du temps qu'il faisait, des invités présents, mais pas ce que le prêtre a dit. Le mariage à caractère romantique nous fait parfois oublier l'aspect réaliste du geste que l'on pose.

Mon conjoint me disait: «Ce n'est pas moi que tu veux, c'est le mariage», et il avait raison. Une grande majorité de filles rêvent d'être vêtues d'une magnifique robe blanche, d'avoir tout à elles l'être qu'elles aiment.

Quand l'union est basée sur le désir de conquérir l'autre, seule la conquête nous intéresse. La négociation peut représenter une menace de perdre l'objet de sa conquête, alors on préfère éviter les sujets délicats, à haut risque de conflits, tels l'argent, les tâches domestiques, le travail de l'un ou de l'autre, les intérêts de chacun.

Ces sujets, on les ressortira après avoir conquis notre bien-aimé(e) et c'est là que naîtront bien des conflits, car il est plus difficile d'établir des règles du jeu une fois la course débutée.

Pourtant, toute entreprise qui se respecte présente toujours un contrat écrit à son client afin que les choses soient les plus claires possible entre la firme et le client.

Une dame, qui était mon amie, vivait depuis quelques années seule. Sentant le poids de sa solitude, elle proposa à sa cousine, devenue veuve, de cohabiter avec elle. Je lui avais suggéré de discuter avec sa cousine d'une ligne de conduite qui ferait en sorte que toutes deux se sentent à l'aise dans leur nouvelle situation, et de définir par écrit leurs engagements quant à la question financière, aux tâches domestiques, aux repas, à l'intimité de chacune, etc. Elle me dit: «Ce n'est pas nécessaire, ma cousine et moi nous connaissons depuis notre enfance, nous nous entendons à merveille.»

Fréquenter une personne et vivre avec elle sont deux situations bien différentes. Après seulement cinq mois de vie commune, l'une et l'autre ne pouvaient plus se supporter: tous les points qu'elles n'avaient pas clarifiés devinrent des problèmes.

Tous les couples qui veulent vivre ensemble auraient grandement intérêt à prendre le temps d'établir un contrat de vie à deux. Cela éviterait bien des problèmes, bien des souffrances et bien des séparations.

C'est ce que nous retrouverons dans le prochain chapitre intitulé **«Grandir ensemble»**.

CHAPITRE XVI

GRANDIR ENSEMBLE ET ATTEINDRE LE SOMMET DE SA RÉALISATION

«Aimer ce n'est pas se regarder les yeux dans les yeux mais c'est regarder ensemble dans la même direction.» Antoine de St-Exupery

Dans les dernières années de ce siècle, nous avons été à même d'assister à l'éclatement du couple et de la famille. Les statistiques nous démontrent sans équivoque ce fait bien réel puisqu'une famille sur cinq est formée d'un enfant provenant d'un autre foyer.

Comment expliquer ce nombre grandissant de séparations et de divorces? Les nouvelles générations seraient-elles plus égocentriques ou moins tolérantes que les précédentes? Est-il encore possible en 1990, de vivre en harmonie dans une relation de couple?

Si nous jetons un coup d'oeil par le passé, nous comprenons que les familles nombreuses, l'autorité religieuse, les traditions, les principes et les qu'en-dira-t-on, s'avéraient des facteurs importants qui retenaient les couples ensemble.

Avec l'avènement des moyens contraceptifs (qui ont entraîné avec eux la libération sexuelle), une plus grande souplesse de la législation sur la séparation et le divorce, l'autonomie financière grandissante des femmes, etc., les hommes et les femmes ont dû redéfinir leurs rôles respectifs dans un contexte relationnel.

La nouvelle génération du «MOI» a rejeté les anciens modèles parentaux pour en rechercher de nouveaux.

La femme moderne ne veut plus être soumise à son mari comme sa mère le fut à son père. Elle veut être son égale, elle veut se réaliser autant que l'homme qui est à ses côtés.

Autrefois, les rôles des hommes et des femmes étaient bien définis. Pour la grande majorité, la femme était la gouvernante du foyer et l'homme le pourvoyeur qui assumait la viabilité de son petit monde. Avec l'arrivée de la femme sur le marché du travail, nous avions deux pourvoyeurs mais plus de gouvernante à temps plein. C'est alors que les problèmes surgirent lorsqu'il fallut débattre les questions relatives aux tâches domestiques, ou gardiennage des enfants, à la répartition financière, aux sorties, à la liberté de chacun.

Serait-ce mieux et plus sain pour les couples de revenir en arrière, de vivre comme nos parents ou nos grands-parents?

La vie ne va jamais en arrière. Même si nous le voulions, nous ne pourrions revenir en arrière. Le changement est une loi cosmique immuable à laquelle aucun être humain ne peut échapper. La souffrance résulte de la résistance. Accepter d'avancer dans le courant de la vie, c'est évoluer, grandir, se perfectionner.

Pour se maintenir, le couple doit changer, évoluer, se transformer, élargir ses horizons, approfondir ses modes de communication. Cela demande parfois du courage de se remettre en question et de redéfinir sa relation avec l'autre. Beaucoup de personnes me posent souvent des questions du genre: «Comment faire pour arriver au même niveau spirituel avec son conjoint, quand ce dernier est négatif à tout sujet qui traite d'évolution? Que peut-ton faire quand, dans un couple, il n'y a qu'un seul des deux éléments qui désire entreprendre un cheminement dans le couple? Doit-on quitter son partenaire lorsque l'on n'avance plus ensemble? Comment savoir si mon cheminement avec mon conjoint est rendu à un point de non-retour; ai-je vraiment tout essayé? Comment faire pour motiver le conjoint à travailler à reconstruire notre couple quand la séparation est toute proche?»

Toutes ces questions se résument à:

PARTIR OU CONTINUER

Tant de personnes ont peur de la solitude, de l'insécurité, de la souffrance, des responsabilités, qu'elles préfèrent supporter une relation même destructrice, plutôt que d'affronter ces peurs.

Grandir implique des risques à prendre, des craintes à surmonter, des souffrances à dépasser.

La question à se poser est en regard d'un choix: vivre ou survivre, avancer ou stagner.

Il y a davantage de personnes accouplées qu'il y a de vrais couples. Le couple en évolution t'intéresse-t-il? Si oui, voici comment tu peux y accéder.

UN CONTRAT DE VIE À DEUX

Si vous ne vivez pas déjà ensemble, il serait des plus souhaitables que vous établissiez entre vous un contrat de vie à deux qui définira clairement les aspects à haut risque de tension, tels: la répartition des tâches domestiques, l'argent, le travail, la liberté de chacun, la perception de l'éventuelle venue des enfants et de leur éducation, etc.

Julie fréquente Alex depuis trois ans. Récemment, ils ont décidé de se marier. Comme tous deux désirent que leur union soit solide, afin de construire un foyer chaleureux, qui accueillera éventuellement des enfants, et qui leur permettra de puiser l'énergie nécessaire pour leur avancement individuel, relationnel et spirituel, ils ont convenu d'établir sérieusement un contrat de vie à deux, où les grandes questions seront discutées avant leur engagement définitif sur la route de la vie à deux.

Nombre de personnes vivent dans la peur de s'engager et ce, à cause des relations limitantes et étouffantes dont ils ont été témoins dans leur milieu familial. C'est ce qui explique la forte attirance vers l'union libre qui se destitue aussi facilement qu'elle s'est constituée. Il est plus facile face à sa famille d'annoncer qu'on a rompu une relation libre qu'une union sacrée par les liens d'un mariage.

Sans un engagement profond de part en d'autre, la montée à deux devient très difficile. Aux premières difficultés, l'envie de lâcher ou de partir vient nous hanter, jusqu'à ce que cette idée soit de plus en plus présente. Notre corps peut être encore dans le foyer commun, alors que notre esprit et notre coeur errent quelque part ailleurs.

Par le passé, je n'avais jamais compris la symbolique du mariage comme engagement mutuel et profond, et, bien que je portais un anneau au doigt et que j'avais signé le registre des mariages, je ne m'étais nullement engagée envers cet homme qui fut mon mari, pas plus que lui d'ailleurs. Très rapidement, nous avons vécu nos vies en parallèle, se retrouvant dans le lit conjugual, partageant une même table et des obligations familiales, mais en dehors de cela, nous n'avions rien de commun. Quelque part, je savais que pour être unis, il nous fallait un point commun. Après notre séparation, je lui ai proposé d'ouvrir conjointement un commerce, croyant que cette entreprise serait notre point commun. Même dans cette entreprise, nous n'avions pas défini d'engagements réciproques. Comme notre mariage, cette expérience n'a pas tenu le coup.

Toute firme qui se respecte offre un contrat en bonne et due forme à son client afin que les règles soient bien définies entre la firme et le client, de façon à éviter le maximum de malentendus possible. Pourtant, qu'est-ce que l'achat d'un service en comparaison de l'investissement d'une partie de son bonheur, de son bien-être et de sa paix intérieure?

Une relation intime stable, où les deux partenaires trouvent joie, complicité et partage, est encore ce qui est considéré par la majorité des adultes occidentaux comme la plus grande source de bonheur. En contrepartie, la détresse ou la rupture d'une relation amoureuse est encore ce qui est considéré comme la cause la plus importante de chagrin et de stress, sans parler de la peur de revivre une nouvelle rupture qui nous rend plus méfiant, et qui augmente notre peur de nous engager.

Si nous comprenons bien l'importance de l'engagement mutuel, voici à titre d'exemple comment définir les règles que nous établirons face à des aspects importants de notre vie avec l'autre, comme la question financière:

• Mettrons-nous notre argent en commun?

S'il n'y a pas mise en commun, quel pourcentage de notre argent sera alloué aux dépenses partagées telles l'épicerie, le loyer, l'électricité, le téléphone, etc.?

- Ferons-nous un budget?
- Comment répartirons-nous les factures inhérentes à notre vie en commun?
- Si l'un de nous se retrouve sans emploi ou cesse de travailler, comment organiserons-nous nos finances?
- Jusqu'à quel montant l'un pourra acheter quelque chose sans en parler à l'autre?

En répondant à ces question et à d'autres qui vous concernent, vous pourrez découvrir vos attitudes respectives au sujet de la question financière. Il est possible qu'en participant à l'élaboration d'un plan d'action vous découvriez des points très importants qui ne vous avaient jamais effleuré l'esprit.

Vous pourrez faire la même chose avec les tâches domestiques, la question du travail, des sorties, de la liberté de chacun tout comme avec l'éducation des enfants. Le temps que vous investirez à définir clairement ces questions entre vous vous évitera bien des conflits, bien des frustrations et des heurts.

Même après s'être engagés dans une relation de couple, il est encore possible d'établir un plan de vie à deux. Il est cependant plus difficile d'établir les règles du jeu une fois la course débutée qu'avant la course. Cependant, il n'est jamais trop tard pour se réajuster quand les coéquipiers désirent réellement faire une bonne course ensemble.

DÉFINIR SES OBJECTIFS ET PLANIFIER SON TEMPS À DEUX

Lorsqu'on ne partage que des soucis, des difficultés et des problèmes, la vie devient rapidement un poids auquel on peut chercher à s'évader de multiples façons (alcool, télévision, lecture, magasinage, etc.). La vie à deux doit comporter une certaine dose de moments agréables, de rires, de joies et de partage. C'est pourquoi il peut être agréable de partager de bons moments ensemble qui nous libèrent des soucis du quotidien. Cela demande parfois une planification où l'activité choisie par les deux partenaires sera une priorité. Il peut s'agir de cours de natation, de danse, de chant, de peinture créative ou d'activités sportives.

Pour beaucoup de couples, le cycle «métro-boulot-dodo» est la règle de vie. Il est dit qu'on perd souvent notre vie à vouloir la gagner.

Goethe disait: «On a toujours le temps qu'il nous faut quand on en fait bon usage».

Il y a des couples qui n'ont même plus le temps de se regarder ou de faire l'amour tant leur travail est leur unique préoccupation. Plus un couple partage des moments agréables, plus leur lien est fort pour faire face aux étapes de la montée vers le sommet de leur réalisation.

On peut aussi planifier des objectifs que l'on désire atteindre ensemble à moyen terme comme l'achat d'une maison, d'un chalet en montagne ou d'un voyage à l'étranger.

Enfin, définir un objectif à long terme, un but à atteindre. Beaucoup de couples qui ont partagé un même idéal, y ont trouvé le lien conjugal le plus fort qui les a amenés à grandir ensemble.

Puisses-tu découvrir cet idéal de vie et le partager avec l'être qui vibrera avec toi dans ce même idéal.

DÉVELOPPER LA SYNERGIE

Dans un processus synergique véritable, quelque chose de nouveau se crée, sans que les éléments originaux qui se sont combinés ne perdent rien de leur identité propre.

Dans une relation où il y a synergie, la collaboration des deux partenaires produit un résultat d'intensité et de qualité supérieure à ce que l'un et l'autre élément comportaient au départ ou auraient pu atteindre individuellement. Ainsi, dans un processus synergique:

$$1 + 1 = 3$$

Cette relation synergique permet aux deux partenaires d'accroître leur niveau d'amour, de plaisir et de réalisation personnelle.

Plus chacun possède une personnalité entière et la capacité d'autoréalisation, plus il peut apporter à son partenaire. Chaque personne devrait avoir expérimenté de bien vivre seule avec elle-même, avant de tenter de vivre avec une autre personne.

Car, faire dépendre son bonheur d'une autre personne, ou encore vivre à ses dépens ne fait pas de nous une personne entière, mais une moitié de l'autre. Par le passé, les couples ne devaient faire qu'un, chacun étant le plus souvent la moitié de l'autre. C'est ce que désignait probablement le terme «ma douce moitié».

Ce type de relation favorise la jalousie, la possession, la peur de l'abandon ou l'angoisse, devant une possibilité de séparation. Ces relations n'ont rien de fortifiant pour les partenaires. Elles sont davantage étouffantes et restreignantes dans l'évolution d'un couple.

COMMENT TENDRE VERS CETTE SYNERGIE DU COUPLE?

a)   En définissant clairement notre espace et en respectant l'espace de l'autre.

Définir notre espace signifie découvrir ce dont on a besoin pour grandir, être heureux et autonome. Lorsqu'elles se marient, plusieurs personnes (surtout les femmes), délaissent leurs amis(e)s pour se consacrer exclusivement au bonheur de leur partenaire en espérant qu'il fera de même. Lorsque nous nous oublions pour l'autre, nous renonçons à nous-mêmes et nous ne pouvons rien apporter à l'autre puisque nous ne sommes pas nous-mêmes. On ne peut donner ce qu'on ne possède pas. C'est pourquoi il est essentiel de s'apporter ce qui contribue à faire de nous, un être entier capable de partager avec les autres.

Respecter l'espace de l'autre, c'est respecter la liberté de l'autre dans ce qu'il pense, choisit d'être ou d'accomplir, sans lui opposer de contraintes. Lorsque tu décides à la place de l'autre, de sa façon de se vêtir, de se coiffer, de planifier son temps, ou que tu veux pour lui dans ses projets, son travail ou ses réussites, **tu entres dans son espace,** et en limitant son espace, tu limites également le tien.

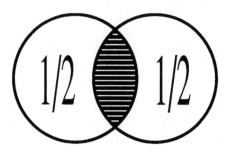

Plus tu conserves ton espace et plus tu respectes l'espace de ton partenaire, (tout en établissant un corridor où vous pouvez vous rencontrer pour partager vos joies, vos objectifs, vos réussites, mais aussi vos peines, vos doutes, vos difficultés afin de vous entraider), plus vous développez ce processus synergique.

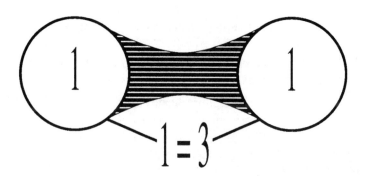

Ce corridor implique une certaine distance, un certain détachement sans lequel la liberté n'est que relative. Autrefois, on croyait que l'amour et l'attachement allaient de pair; c'est ce qui justifiait la jalousie et la possession. Le détachement n'est pas de l'indifférence, mais une distance nécessaire pour accueillir l'autre dans ce qu'il vit, sans se sentir soi-même menacé. C'est dans cet espace que l'on découvre la vraie profondeur de l'amour; car la possession (attachement) est nourrie par la peur de perdre l'autre ou de le conquérir, alors que le détachement se nourrit d'un respect total de la liberté de l'autre.

Bien entendu, cet amour détaché suppose le développement de sa maturité affective. Car, l'enfant en nous qui vit des peurs a tendance à s'accrocher à l'autre ou à le fuir.

b) En respectant nos aspirations fondamentales ou celles de notre partenaire

Désirer changer nos aspirations fondamentales ou celles de notre partenaire, c'est tenter de ramer à contre-courant. Nous pouvons le faire un certain temps, mais nous y perdrons beaucoup de notre énergie et à un certain moment, nous risquons d'être emporté par ce même courant.

Prenons par exemple Madeleine qui rêve d'avoir des enfants, et Philippe, qui ne veut rien entendre de ce projet. Madeleine pourra se refuser cette aspiration fondamentale pendant un certain temps, espérant que Philippe change d'idée, mais cela ne pourra que lui apporter de la peine, de la frustration et le sentiment de passer à côté d'un désir très important pour elle.

J'ai vécu avec un homme que j'ai beaucoup aimé, mais nos rivières avaient des directions différentes. Je voulais investir dans une vie de couple, vivre dans l'aisance financière et le confort, tandis qu'il voulait vivre le total détachement matériel et la vie de communauté. Tant que nous avons vécu comme des bohèmes avec des groupes d'amis, tout fonctionnait très bien entre nous, mais lorsque j'ai voulu graduellement l'installer dans une vie de couple rangée, il a senti sa liberté menacée, et s'est senti appelé à vivre ce qui l'habitait. Il faisait partie de ce que j'ai appelé au début de ce volume «mes rêves impossibles».

Si toi et ton partenaire avancez dans des directions opposées, l'un de vous rame à contre-courant.

Quand un couple va dans la même direction, il avance rapidement et sans trop d'efforts, dans sa rivière.

c) En aidant l'autre à atteindre ses objectifs de vie

Aider l'autre ne signifie pas de s'oublier, mais de devenir un véritable coéquipier qui encourage l'autre à prendre des risques, à développer son potentiel, à croire en lui et en la vie. Ce sont nos alpinistes qui se tendent la corde mutuellement pour atteindre ensemble les sommets de leur réalisation.

d) Enfin, en regardant droit devant soi.

Avancer en s'accrochant à ses souvenirs, c'est comme monter un escalier et tenter d'emporter les marches.

Chaque jour nous apporte une dose d'expérience et nous pouvons apprendre et nous émerveiller de chaque journée que la vie nous offre.

Une très belle pensée tirée du livre «Écoute ma mie» de Tante Lucille, dit:

« Hier n'est qu'un rêve

Demain une réalité

Mais un aujourd'hui bien vécu

Fait d'hier un souvenir de bonheur

Et de demain une vision d'espoir »

Se connaître et choisir d'avancer avec un partenaire nous introduit au coeur d'un voyage de découverte de nous-mêmes et des autres.

Dans ce choix de réalisation à deux, nous est donnée l'opportunité d'explorer des niveaux d'amour et d'allégresse plutôt que de se complaire dans la satisfaction de plaisirs éphémères.

Abraham Maslow appelait ces états «L'arrivée au sommet» qui correspondent à des moments uniques, créateurs, où l'on vit intensément l'instant présent dans la transcendance de soi-même.

Quand ces états se multiplient, alors naît une forte synergie où les partenaires vibrent en harmonie sur les plans intellectuel, affectif et spirituel.

BIBLIOGRAPHIE

AUGER, Lucien, «*S'aider soi-même*», Éditions de l'Homme CIM 1974

AUGER, Lucien, «*L'amour de l'exigence à la préférence*», Éditions de l'Homme, Éditions du CIM Montréal 1972

BACH, Richard, «*Illusions Le Messie récalcitrant*», Éditions Flammarion 1978

FREDERICK, Carl, «*Jouer le tout pour le tout*», Éditions Le Jour 1981

FRIEDMAN, Sonya, «*Un homme au dessert*», Éditions Le Jour 1984

FROMM, Erick, «*L'art d'aimer*», Éditions Epi 1968

GAWAIN, Shakti, «*Vivez dans la lumière*», Éditions Le Souffle d'Or 1986

HAY, Louise L, «*Transformez votre vie*», Éditions Soleil 1989

NORWOOD, Robin, «*Ces femmes qui aiment trop*», Éditions Stanké Parcours 1986

O'NEILL, Nena et George, «*Le mariage open*», «*Le couple*», «*Un nouveau style de vie*», Éditions Presse Select Ltée 1976

RAINVILLE, Claudia, «*Participez à l'Univers, sain de corps et d'esprit*», Éditions F.R.J. Inc. 1989

RUBIN, Lillian, «*Des étrangers intimes*», Robert Lafont Collection «*Réponses*» Paris 1986

SAINT-ARNAUD, Yves, «*J'aime*», Éditions de l'Homme CIM 1978

SCOVEL SHINN, Florence, «*Le jeu de la vie et comment le jouer*», Éditions Astra 1941

STEVEN MANDEL, Robert, «*Vivre l'amour*», «*La thérapie du coeur ouvert*», Éditions Stanké Parcours 1989

WEOR SAMAEL, AUN, «*Le mariage parfait*», collection Urania.

WRIGHT, John, «*La survie du couple*», Éditions La Presse Ltée 1985

ANNEXE

Claudia Rainville a fondé le *Centre d'Harmonisation Intérieure l'Éveil Radieux inc.*, qui dispense le service de consultations individuelles selon son approche en métamédecine.

Le Centre offre aussi l'atelier *Harmonie,* une thérapie intensive de fin de semaine, ayant comme objectif de réveiller et de libérer la mémoire émotionnelle de blocages du passé. On y apprend comment changer le film de sa vie et comment maîtriser ses émotions afin de vivre davantage l'harmonie physique, énergétique et spirituelle.

De plus en plus sollicitée comme conférencière au Québec et en Europe, Claudia Rainville se consacre surtout à l'enseignement, par ses conférences, ses séries télévisées et ses chroniques dans des revues d'éveil spirituel. À ceux et celles qui se sont engagés sur la voie de l'évolution spirituelle, elle propose un atelier de Spiritualité qu'elle offre au Québec et aussi dans le cadre de voyages-ateliers en République Dominicaine.

Aux thérapeutes ou personnes travaillant en relation d'aide qui désirent apprendre sa technique de libération de la mémoire émotionnelle, Claudia Rainville donne à chaque été un stage intensif de deux semaines.

Pour renseignements sur les thérapies individuelles et de groupe ainsi que sur les ateliers de Spiritualité, ou pour recevoir le programme de ses conférences, contacter:

Le Centre d'Harmonisation Intérieure l'Éveil Radieux inc.
153, du Sommet
Vermont sur le Lac
Stoneham (Québec)
Canada
G0A 4P0
Tél.: (418) 848-4290

Achevé   Imprimerie
d'imprimer Gagné Ltée
au Canada Louiseville